René Nicole
Danielle Beaunier
9 janvier 1989 $11.95

VOUS ET VOTRE
LÉVRIER
AFGHAN

Couverture
- Conception graphique:
  Violette Vaillancourt
- Photos:
  Maryse Raymond
- Illustration:
  Anik Lafrenière

Maquette intérieure
- Photos:
  Maryse Raymond
- Conseiller canin:
  Centre de coordination canine
  Danièle Leduc
  Tél.: 387-0156

Les lévriers afghans appartiennent à l'élevage
«Deloubelle», propriété de madame Louise Lebrun.

DISTRIBUTEURS EXCLUSIFS:

- Pour le Canada:
  AGENCE DE DISTRIBUTION POPULAIRE INC.*
  955, rue Amherst, Montréal   H2L 3K4 (tél.: 514-523-1182)
  * Filiale de Sogides Ltée

- Pour la France et l'Afrique:
  INTER FORUM
  13, rue de la Glacière, 75013 Paris (tél.: (1) 43-37-11-80)

- Pour la Belgique, le Portugal et les pays de l'Est:
  S. A. VANDER
  Avenue des Volontaires, 321, 1150 Bruxelles
  (tél.: (32-2) 762.98.04)

- Pour la Suisse:
  TRANSAT S.A.
  Route des Jeunes, 19, C.P. 125, 1211 Genève 26
  (tél.: (22) 42.77.40)

VOUS ET VOTRE

LÉVRIER AFGHAN

MARTIN EYLAT

**Collection «Nos animaux»
dirigée par Odette Eylat**

LES ÉDITIONS DE
L'HOMME

Données de catalogage avant publication (Canada)

Eylat, Martin

  Vous et votre lévrier afghan

  (Collection Nos animaux)

  ISBN 2-7619-0764-7

  1. Lévriers. I. Titre. II. Collection.

SF429.A4E94 1988   636.7'53   C88-096321-2

Bibliothèque nationale du Québec
Dépôt légal — 2ᵉ trimestre 1988

ISBN 2-7619-0764-7

*À Jean-Louis et à Geneviève Marx,
ainsi qu'à David et à Emmanuel,
affectueusement.*

Son allure majestueuse, sa démarche souple et aisée confèrent au Lévrier afghan cet air élégant.

La carte d'identité

L'Afghan, avec son allure altière et son expression intelligente, donne une impression de force et de dignité.

Ses origines

Quand Noé décida de remplir l'arche, il se trouva confronté au problème de trouver un couple de chiens qui soient bien représentatifs de cette race d'animaux; il décida de choisir un couple de Lévriers afghans: il les trouvait les plus beaux et les plus intelligents parmi les dizaines de genres de chiens qui se bousculaient à l'entrée du bateau pour ne pas mourir noyés quand le déluge se déclencherait.

La légende n'est-elle pas belle? Ce qui n'a rien à voir avec la légende, par contre, c'est le fait que l'origine de l'Afghan remonte à la nuit des temps et qu'il est plus que probable que cette origine ne soit pas afghane puisqu'on a retrouvé sa trace en Inde, en Arabie, en Russie, en Perse et même en Chine.

Dans la région de Balkh, au nord-ouest de l'Afghanistan, on a découvert sur des parois de cavernes des dessins gravés, datant de plus de quatre mille ans et représentant des chiens qui ressemblent curieusement aux Tazis, nom donné parfois aux Afghans d'aujourd'hui.

Le nom de Tazi a été retrouvé également sur un papyrus égyptien encore plus ancien que les dessins retrouvés en Afghanistan.

Des représentations de Lévriers, dont certains étaient enchaînés et d'autres libres dans le désert, ont été découvertes dans des pièces archéologiques de l'époque assyrienne, laquelle remonte à plus de 7000 ans.

En résumé, il est très difficile de situer les origines exactes de l'Afghan; les cynologues ne sont arrivés à aucune conclusion définitive à ce sujet.

Certains affirment que cette race a vu le jour sur le mont de Moïse, le djebel Mûsa, au coeur du désert du Sinaï et qu'elle aurait migré, lentement, vers l'ouest et vers l'Égypte. Ils ajoutent qu'un apport de sang de chien de berger serait à l'origine de ses longs poils.

D'après Keller, l'Afghan proviendrait des hauts plateaux de l'Éthiopie et serait le descendant du *Canis simansis,* c'est-à-dire du Loup abyssin. Après avoir gagné la vallée du Nil, il se serait répandu dans tout le Proche-Orient.

Studder, lui, fait descendre notre Afghan du chien paria de l'Inde qui lui-même serait issu probablement du chacal africain. À ce propos le docteur Oberthur affirme qu'il fait penser aux chiens indiens au museau pointu et au Lévrier de Kardefan ou Caberu, et qu'il appartient, tout comme le Sloughi, aux races les plus anciennes qui soient, races qui ont été croisées tout au long des siècles avec des chiens provenant du loup et du chacal. Le docteur Oberthur pense que, au cours des siècles, l'Afghan aurait contribué à la formation des chiens d'arrêt, des chiens courants et même des terriers. Si la supposition se révélait exacte, l'Afghan serait le père ou l'ancêtre de tous les chiens du monde.

Ce qui est certain, c'est que, en dépit des variétés,

l'aspect de l'Afghan n'a pratiquement pas changé depuis des milliers d'années. Tout indique, aussi, que l'Afghan était principalement un chien de travail et qu'il remplissait plusieurs fonctions — chien de berger, chien de garde, chien de chasse — sans que l'on puisse déterminer quel était son rôle premier.

L'Afghan est avant tout un chasseur. Il était fort à l'honneur en Orient, où la chasse était l'un des passe-temps favoris des seigneurs, mais où également il constituait un élément essentiel à la survie des tribus. Les chiens Afghans sont des chasseurs à vue et sont bien dressés pour saisir et égorger leurs proies. Ils aiment chasser en couple et poursuivre les herbivores; de plus, on rapporte qu'ils sont tout à fait capables d'attaquer et même de tuer un léopard.

Il est étonnant que cette race soit restée si pure malgré ses origines lointaines; en fait la véritable protection de l'Afghan, au cours du siècles, a tenu au fait qu'il était interdit de vendre ce chien à un étranger, sous peine de mort, et que toute exportation en était sévèrement interdite. Malgré ces décrets et hypnotisé par la beauté du chien, le colonel anglais MacKenzie réussit à se procurer un couple d'Afghans et à les ramener secrètement en Grande-Bretagne. Ils furent présentés pour la première fois à l'exposition canine de Londres en 1907. Ils firent évidemment sensation et suscitèrent un tel intérêt de la part du roi d'Angleterre Édouard VII que la reine Alexandra les acheta pour les lui offrir. Une vogue s'ensuivit, et l'Afghan devint la coqueluche de l'aristocratie britannique. Ce furent les Anglais qui fondèrent le premier club du chien en 1926.

L'Afghan est un chien de qualité et même de luxe; il peut être dressé à monter la garde, mais il préviendra en jappant, sans attaquer. Son dressage devra être fait tout en douceur. Vous aurez près de vous un compagnon gai et vif, mais sensible et gardant ses distances avec les étrangers.

Avant de faire l'achat d'un Afghan, il serait bon que vous consultiez un conseiller canin qui vous guidera dans votre choix, surtout pour cette race qui est le summum de la beauté parmi les Lévriers. Le conseiller canin tiendra compte de votre façon de vivre et de ce que vous attendez d'un chien. Il pourra juger si la personnalité de l'Afghan ne risque pas de se heurter à la vôtre, si son tempérament ne risque pas de vous fatiguer, si vous disposez d'assez de temps pour vous occuper de lui et, surtout, si vous avez suffisamment de place pour ce chien de taille.

Grâce au conseiller canin, vous pourrez être certain d'avoir fait le bon choix.

Nous vous proposons plus loin une série de tests, en particulier le test de Campbell, que vous pourrez faire passer à votre Afghan vers l'âge de sept semaines afin de mieux cerner ses tendances fondamentales. Vous pouvez aussi exiger, à l'achat, que votre conseiller canin fasse lui-même passer ces tests.

Ainsi, vous aurez près de vous un grand chien élancé, très attachant, un chien plein de majesté; vous récolterez les fruits de vos longues recherches et ceux d'un dressage approprié, effectué avec intelligence et doigté. Nous consacrerons un chapitre au dressage de l'Afghan.

Les traits de caractère de l'Afghan

Ses qualités

On ne peut parler des qualités de l'Afghan sans commencer par évoquer sa beauté. Son allure majestueuse, sa démarche souple, aisée et élastique lui donnent cet air élégant, unique dans la grande famille des chiens.

Toute son allure, que l'on qualifie d'orientale, lui confère une classe très particulière que l'on ne retrouve que chez certains Lévriers d'Asie qui font d'ailleurs partie de sa proche famille comme les Salukis et les Sloughis.

Sa démarche dégage une impression de force et de noblesse; mais ne nous y trompons pas, c'est un grand sportif qui ne craint ni la neige ni la pluie, et se moque des broussailles.

En Afghanistan, il n'est pas considéré comme un chien de compagnie mais comme l'aide du chasseur qui court la chèvre sauvage ou le daim; il est même capable de chasser le loup ou le léopard des neiges. Il est également le compagnon des bergers de l'Hindû-Kûsh. En France, malheureusement, les Lévriers sont interdits de chasse, ce qui ne les empêche pas de conserver leurs qualités de chasseurs et de coureurs.

Votre Afghan sait ce qu'est le confort et saura choisir dans votre salon le meilleur coussin, le meilleur fauteuil ou la meilleure place devant le feu que vous venez d'allumer dans votre salon...

Mais dès qu'il sort de la maison, il change du tout au tout: il donne libre cours à sa fantaisie, adore courir à perdre haleine et s'amusera à japper après une feuille d'arbre tombée pendant l'automne. Vous obtiendrez ce que vous voudrez en lui parlant avec douceur et affection; il est toujours gai et attentif à vos paroles. Votre chien Afghan, en bonne santé et jouissant d'un bon équilibre sur tous les plans, sera un compagnon parfaitement calme malgré son influx nerveux dans une course, par exemple. Curieusement, malgré sa taille imposante, votre Afghan prend peu de place; ne tenez donc pas compte, dans votre décision, du manque d'espace chez vous.

L'atmosphère qu'il répand autour de lui est très appréciée de ceux qui sont ses maîtres: calme absolu, réception au pas de la porte, réception joyeuse mais empreinte de dignité. Il s'allongera près du fauteuil que vous aurez choisi pour lire le journal, etc.

Ses défauts

Il vous faudra veiller à ce que votre Afghan ne prenne pas la direction de la maisonnée, penchant qu'ont tous les membres de cette race; n'oubliez pas que vous n'avez pas affaire à un Berger allemand; si vous l'observez bien, vous remarquerez qu'il essayera de prendre «le pouvoir» en douceur, petit à petit, mais selon un plan bien organisé: ne vous laissez pas faire, il suffira de lui expliquer les réalités de la vie et de la hiérarchie pour qu'il s'y adapte, sinon joyeusement, au moins avec sérénité. Un de ses défauts, si l'on peut appeler cela un défaut, est sa grande susceptibilité; il se froisse pour un rien, pour une observation émise d'une voix trop forte, pour une remontrance non justifiée; n'oubliez pas que vous avez près de vous un être sensible, qui à la moindre indélicatesse se mettra à bouder, particularité assez étrange chez un chien de cette taille.

Votre Afghan peut être un excellent gardien sans pour cela se jeter sur ses victimes; il aboiera tant et plus pour faire fuir l'intrus.

Le dressage devra être mené d'une main légère et tout en douceur; votre Afghan est intelligent et peu têtu, il apprendra vite, mais il ne faut pas qu'il pense qu'il s'agit d'un jeu.

Quand vous serez décidé à devenir le maître de ce magnifique chien aux poils longs, veillez à plusieurs choses. D'abord remarquez le chiot qui viendra vers vous et, si vous êtes également attiré par lui, sachez qu'il y a de fortes chances pour que ce soit le lien idéal. Consultez quand même le conseiller canin: il pourrait remarquer certains éléments que vous auriez négligés.

Examinez attentivement les oreilles et les yeux: ils ne doivent pas présenter d'écoulement suspect; les muscles doivent être solides et le pelage impeccable. Le chiot n'a pas les longs poils que nous connaissons à l'Afghan adulte, mais un poil laineux court; ce n'est qu'à l'âge de trois ans que les poils de son corps atteignent la longueur voulue. Soulevez les poils courts pour vous assurer que la peau est totalement dépourvue de parasites et de squames.

Faites sans faute examiner par un vétérinaire le chiot que vous désirez acquérir afin d'être certain qu'il n'est pas malade. Si le vendeur refuse de vous le donner pour qu'il soit ausculté chez le vétérinaire, n'achetez pas le chiot.

Votre Afghan devra être *parfait*; examinez-le d'après chacun des standards qui suivent.

Les standards du Lévrier afghan

Ces standards ont été établis par la **Fédération cynologique internationale** (F.C.I.). Nous y avons ajouté les différences substantielles observées dans les standards du **Cercle canadien du chenil** (C.C.C.).

Caractéristiques de la race

L'Afghan est un chien qui donne une impression de force et de dignité. Allure altière, expression intelligente, type oriental caractéristique de la race.

Apparence générale

La démarche souple et élastique typique de l'Afghan lui donne une apparence de puissance et de noblesse, combinée avec la rapidité et la force. La tête doit être portée haut et fier.

Yeux

De préférence foncés — mais une couleur dorée est acceptable —, de forme presque triangulaire, légèrement oblique, remontant du coin intérieur vers le coin extérieur. CANADA: Jamais saillants ni proéminents, de couleur sombre.

Oreilles

Attachées bas, bien à plat contre la tête, couvertes de poils longs et soyeux.

Bouche

Bien ajustée.

Cou

Long, fort, portant fièrement la tête.
CANADA: Long, fort arqué, décrivant une courbe pour atteindre les épaules.

Avant-main

Épaules longues, obliques, situées bien en arrière, musclées, puissantes sans être lourdes; jambes de devant de bonne ossature, dans le prolongement de l'épaule, coudes bien au corps.

Corps

Dos bien plat, de longueur moyenne, bien musclé, s'inclinant légèrement vers la hanche. Os des hanches proéminents et assez écartés. Côtes bien sorties, poitrine profonde, rein droit, fort, plutôt court.

Arrière-main

Puissante, jarrets bien coudés, grande distance entre la hanche et le jarret, distance plutôt courte du jarret au pied.

Pieds

Pieds de devant forts et larges couverts de poils longs et épais, doigts bien arqués, paturons longs et élastiques, spécialement en avant, soles bien appuyées au sol, pieds de derrière longs mais un peu moins larges que les pieds de devant, également bien couverts de poils longs et épais.

Les ergots peuvent être coupés ou non au gré de l'éleveur.

Queue

Pas trop courte, se terminant en forme d'anneau, très peu garnie de poils, portée haut lorsque le chien est en action.

CANADA: Plantée moyennement haut, se terminant en anneau ou courbée à l'extrémité; ne doit jamais être complètement recourbée sur elle-même ni reposer sur le dos de l'animal; jamais portée de côté, elle ne doit pas être fournie.

Pelage

Poils très longs, soyeux, de fine texture, recouvrant les côtes, l'avant-main, l'arrière-main, tout le corps sauf le dos à partir de l'épaule jusqu'à la naissance de la queue où le poil est court et très serré. Sur la tête à partir du front vers l'arrière, de longs poils soyeux forment un toupet; sur la face, poil court et serré. Les oreilles et les jambes sont couvertes de poils longs et abondants. Les paturons peuvent être dégarnis.

CANADA: Le Lévrier afghan doit être exposé à son état naturel; la robe ne doit pas être tondue ou toilettée. La présence d'un poil court au bas des pattes antérieures ou postérieures est admise.

Couleur

Toutes les couleurs sont admises.

CANADA: Si toutes les couleurs sont admises, elles doivent être plaisantes; les taches blanches, surtout sur la tête, sont à éviter.

Taille

Idéale pour les mâles: de 59 à 74 cm (de 27 à 29 po); pour les femelles: de 5 à 8 cm (de 2 à 3 po) en moins.

CANADA: Hauteur au garrot pour le mâle: 69 cm (27 po) plus ou moins 3 cm (1 po); pour la femelle: 64 cm (25 po) plus ou moins 3 cm (1 po).

Poids: Pour le mâle: environ 27 kg (60 lb); pour la femelle: 23 kg (50 lb).

Défauts

Apparence lourde, crâne trop large, museau court, menton faible, yeux grands et ronds, cou court et épais. Dos soit trop long soit trop court.

CANADA: Irritabilité ou timidité. Absence de selle à poil court chez l'adulte. Aspect grossier, cou de brebis, cou d'oie, cou trop fin, coussinets trop minces, croupe d'oie, rein lâche, grassets trop droits, jarrets trop longs.

La classification internationale

La Fédération cynologique internationale (14, rue Léopold-II, 6530 Thuin, Belgique), regroupant les sociétés nationales canines de la plupart des pays européens, a établi une classification des races de chiens afin de faciliter l'organisation des expositions et des concours.

Cette classification comprend dix groupes, et l'Afghan appartient au dixième groupe, celui des lévriers. En voici la liste:

1er groupe:	chiens de berger
2e groupe:	chiens de garde, de protection et de trait
3e groupe:	terriers
4e groupe:	teckels
5e groupe:	chiens courants pour gros gibier
6e groupe:	chiens courants pour petit gibier
7e groupe:	chiens de chasse (sauf de race britannique)
8e groupe:	chiens de race britannique
9e groupe:	chiens d'agrément ou de compagnie
10e groupe:	lévriers

Le dixième groupe, celui des lévriers, est composé des chiens suivants:
Greyhound
Whippet
Sloughi
Galgo
Barzoi
Deerhound
Irish Wolfhound
Persan (Salukis)
Afghan
Petit Lévrier italien

Voici la liste des adresses des sociétés nationales où la population ou une partie de la population parle français, et qui appartiennent à la F.C.I., soit comme organismes fédérés, soit comme organismes associés:

Union royale cynologique Saint-Hubert
25, avenue de l'Armée
B-1040 Bruxelles
Belgique

Société centrale canine pour l'amélioration des races de chiens en France
215, rue Saint-Denis
F-75093 Paris Cedex 02
France

Union cynologique Saint-Hubert du Grand-Duché de Luxembourg
c/o M. Fernand Jacquemart, Secrétaire général
1, rue de la Libération
L-6315 Beaufort
Grand-Duché de Luxembourg

Société canine de Monaco
12, avenue d'Ostende
Palais des Congrès
MC-98000 Monte-Carlo
Monaco

Société cynologique suisse
Case Postale 2307
CH-3001 Berne 1 Facher
Suisse

Société centrale canine marocaine
Boite Postale 6316
Rabat
Maroc

Société canine de Madagascar
Boite Postale 56
Ivato 105
Madagascar

Le système de classification canadien présenté par le **Cercle canadien du chenil** (2150, rue Bloor ouest, Toronto, Ontario (Canada) M6S 4V7) comprend sept groupes:

1er groupe: chiens d'arrêt
2e groupe: chiens courants
3e groupe: chiens de travail
4e groupe: terriers
5e groupe: chiens de luxe
6e groupe: divers (sauf chiens d'arrêt)
7e groupe: chiens de berger

Notre Afghan (nom officiel: Lévrier afghan) appartient au deuxième groupe, celui des chiens courants:
Basenji (Terrier du Congo)
Basset allemand (Dachshund, Teckel)
Basset Hound
Beagle
Bloodhound (Chien de Saint-Hubert)
Chien d'élan norvégien
Chien des pharaons
Coonhound noir et feu
Drever
Fox-Hound américain
Fox-Hound anglais
Harrier
Lévrier afghan
Lévrier anglais à poil dur (Deerhound)
Lévrier anglais à poil ras (Greyhound)

Lévrier irlandais
Lévrier persan (Salouki)
Lévrier russe (Barzoi)
Otterhound
Petit Basset Griffon vendéen
Podenco d'Ibiza
Ridgeback de Rhodésie
Spitz finlandais
Whippet

Les tests

Il est très important de faire remarquer que les tests qui vont suivre ne révèlent que des tendances et que les expériences et environnements futurs peuvent jouer un très grand rôle.

Quant à l'âge recommandé pour faire passer au jeune chien les tests de caractère, il est préférable, dit-on, de les administrer à l'âge de cinq semaines. À partir du 21e jour, des influences peuvent jouer sur le chiot.

Quoi qu'il en soit, soumettez aux tests votre chien, ou le chien que vous voudriez acquérir, même s'il a atteint un âge plus avancé.

Vous vous isolerez avec votre chiot dans un endroit calme et dépourvu de toute source de distraction qui pourrait fausser les résultats.

Les tests de William Campbell sont certainement parmi les meilleurs; ils comprennent cinq exercices:
1. Test de confiance
2. Test d'accompagnement
3. Test de contrainte
4. Test de domination sociale

5. Test de la position élevée

Voici quelques instructions générales à suivre tout au long des tests: agissez calmement, sans parler et en douceur; ne faites au chiot ni reproches ni compliments: ne relevez aucune de ses bêtises.

Vous cocherez les lettres du tableau de Campbell correspondant aux réactions du sujet.

1. Test de confiance

Posez le sujet par terre et éloignez-vous d'environ trois mètres. Accroupissez-vous et tapez doucement dans vos mains. Le chiot vous révélera immédiatement son degré d'attraction sociale. Notez le résultat et passez directement, sans attendre, au test suivant.

2. Test d'accompagnement

Placez le sujet par terre, très près de vous, puis éloignez-vous en marchant normalement. S'il ne vous suit pas, vous aurez la preuve de son indépendance. Mais avant de noter un résultat, soyez absolument certain que le chiot vous a bien vu marcher.

3. Test de contrainte
(durée: trente secondes)

Accroupissez-vous et roulez le chiot en douceur sur le dos pendant trente secondes en le maintenant d'une main sur la poitrine. La façon dont il rejettera ou acceptera cette position indiquera son degré de résistance ou son degré de soumission à la contrainte physique de son maître.

Si le chien pleure ou aboie, il se peut qu'il s'agisse d'une tendance naturelle qui sera difficile à corriger par après. Il pourrait répondre, en grandissant, par des «vocalises»; attention au mécontentement de vos voisins, si vous demeurez en appartement.

4. Test de domination sociale
(durée: trente secondes)

Accroupissez-vous et caressez calmement et doucement le chiot sur le dessus de la tête, sur le cou et sur le dos. Sa réaction indiquera jusqu'où il accepte d'être dominé ou veut dominer. Le chiot très dominateur essaiera de résister à la personne qui fait le test en se sauvant, en grognant et en mordant. Le chiot indépendant marchera dignement tout en s'éloignant. S'il est obéissant, il se laissera faire.

Dans tous les cas, il faudra continuer à le caresser jusqu'au moment où son comportement vous semblera clair. Notez le résultat.

5. Test de la position élevée
(durée: trente secondes)

Soulevez le sujet de terre de telle sorte que ses membres ne touchent pas le sol sans pour autant trop l'en éloigner. Il devra à peine être soutenu. Gardez les deux mains entrelacées autour de son ventre pendant trente secondes. Vous placez ainsi le chiot dans une position complètement soumise à votre contrôle. Sa réaction à cette position vous indiquera son degré de docilité.

Déposez lentement et doucement le chiot et notez le résultat.

Vous cocherez les lettres appropriées du tableau apparaissant ci-dessous et vous analyserez les résultats. Retenez la tendance générale, ne vous arrêtez pas à un détail. Cet test vous donnera une idée générale de la personnalité du sujet.

Tableau de Campbell

Test de confiance

Vient promptement, queue haute, en sautillant et en mordillant les mains	A
Vient promptement, queue haute, en piaffant vers les mains	B
Vient promptement, mais queue basse	C
Vient en hésitant, queue basse	D
Ne vient pas	E

Test d'accompagnement

Suit promptement, queue haute, sous les pieds, en essayant de mordiller les pieds	A
Suit promptement, queue haute, sous les pieds	B
Suit promptement, queue basse	C
Suit en hésitant, queue basse	D
Ne suit pas, ou à distance	E

Test de contrainte (trente secondes)

Lutte vigoureusement, se débat et mord	A
Lutte vigoureusement et se débat	B
Lutte un moment, puis abandonne	C
Ne lutte pas, lèche les mains	D

Test de domination sociale (trente secondes)

Bondit, piaffe ou griffe, mord, gronde	A
Bondit, piaffe	B
Se tortille, lèche les mains	C
Se roule, lèche les mains	D
S'éloigne et ne bronche plus	E

Test de la position élevée
(trente secondes)

Se débat furieusement, mord, gronde, pleure	A
Se débat beaucoup, pleure	B
Se débat, se calme, lèche	C
Ne lutte pas, lèche	D

INSCRIRE LE TOTAL DES A, B, C, D, E.

Que révèlent les résultats:
(pour le chiot, évidemment)

1. *Deux A ou plus avec un B ou plus:*
   Chiot dominateur et agressif (peut mordre s'il est manipulé physiquement). À traiter avec douceur, sans jamais le frapper, ce qui accentuerait son côté agressif. Un environnement calme, l'absence d'enfants et de personnes âgées conviennent mieux. Par contre, ces chiots deviendront des chiens de garde et de protection en cas de danger s'ils sont élevés avec douceur et fermeté.

2. *Trois B ou plus:*
   Chiot dominateur ou à tendance dominatrice. Il deviendra impossible à maîtriser s'il est toujours caressé sans motif. Par contre, avec une éducation douce et patiente, il apprendra rapidement les rudiments du dressage. Les enfants vivant au foyer ne sont pas faciles à accepter pour le chiot, mais veillez à le rendre sociable en l'entourant de beaucoup d'enfants.

3. *Trois C ou plus:*
   Chiot pouvant s'intégrer dans tous les genres de foyers. Il n'est ni trop soumis ni trop agressif. Il est for-

tement conseillé aux personnes âgées et aux familles avec de nombreux enfants. En résumé, un chien sans problèmes majeurs.

4. *Deux D ou plus avec un ou plusieurs E:*
   Chiot sensible et doux, très soumis et demandant beaucoup de tendresse et de caresses pour surmonter son manque de confiance en lui-même. Il peut fort bien faire un pipi de soumission avec des propriétaires trop sévères. Il vous faudra beaucoup de temps et de patience pour lui donner confiance. Il peut sans problèmes s'adapter aux jeunes enfants mais il est possible qu'il morde ou mordille sous l'effet de la peur, de la menace ou de la contrainte physique.

5. *Deux E ou plus (dont un dans la section de domination sociale):*
   Ce chiot ne vient pas vite à vous et demeure très solitaire. Il n'en fait qu'à sa tête. Caractérisé en plus par un B ou un D, il peut attaquer et mordre sous l'influence d'un stress après ou pendant une punition physique. Caractérisé en plus par un C ou un D, il peut devenir très farouche par rapport à son environnement et à ses maîtres. Il s'agira de l'éviter si vous avez des enfants.

6. *Un résultat mixte:*
   Un résultat mixte oblige à recommencer le test dans un autre endroit. Si le résultat reste le même, le chiot pourrait être un animal ambivalent selon les situations ou l'environnement. Pour rendre possible l'épanouissement de son tempérament, il vous faudra beaucoup de temps et de patience.

La bonne réponse

Le dos doit être plat, de longueur moyenne, bien musclé et s'inclinant légèrement vers la hanche. La tête doit être portée haut et fier.

Sa nourriture

Votre Afghan, comme tous les chiens, mange de tout. Vous pouvez facilement le comparer à l'homme: il pourra se nourrir d'aliments en conserve ou de nourriture sèche tout comme il pourra observer un régime alimentaire varié que vous lui préparerez avec amour et soin. N'oubliez pas de le faire jeûner de temps en temps, il n'en retirera que des bienfaits.

La nourriture proposée actuellement par les grandes marques d'aliments pour chiens est une nourriture parfaitement équilibrée, qu'elle soit sèche ou humide. Vous pouvez évidemment préparer vous-même ses repas, mais ne croyez pas que les aliments proposés par l'industrie ne soient pas suffisamment équilibrés; faites-lui à manger s'il vous plaît de le faire et si vous avez du temps devant vous.

Si à l'origine le chien était carnivore, sa domestication l'a rendu omnivore, c'est-à-dire qu'il peut maintenant manger de tout: aussi bien de la viande que tout autre aliment. Il vous faudra veiller à l'équilibre de son alimentation en tenant compte de son âge, de son état de santé, de sa condition (gestation, lactation, etc.), de ses activités et de son environnement climatique.

Votre Afghan a la particularité, malgré sa taille, de manger peu, ou plutôt de manger peu à la fois: il s'agit là d'une confirmation physiologique. Il serait donc préférable de lui donner des repas peu copieux, mais assez fréquents. La nourriture industrielle lui convient parfaitement.

Ajoutons qu'il est actuellement conseillé de ne pas lui offrir de viande crue mais de toujours la faire bouillir afin d'éviter des infections.

Vous devez noter également que la nourriture sèche a l'avantage d'entretenir les dents de votre Afghan. En effet c'est en croquant qu'il se les nettoie et empêche le tartre de se former et de favoriser ainsi un foyer d'infection.

Sachez que certaines grandes marques offrent des boîtes d'aliments qui, à elles seules, peuvent guérir votre compagnon de certaines maladies, notamment rénales et hépatiques.

Maintenant, si vous tenez à préparer la nourriture de votre chien suivant l'ancienne mode, sachez qu'il y a deux écoles.

Selon l'école moderne, *dès le 22e jour,* vous pouvez commencer à lui donner de la nourriture sèche amollie par adjonction d'eau, dans une assiette afin de l'inciter à laper, et continuer ainsi tout au long de son développement en rendant sa nourriture de plus en plus sèche.

Selon une école plus ancienne, *jusqu'au 22e jour environ,* les chiots sont nourris exclusivement par leur mère. Ensuite, vous leur donnerez un peu de lait en supplément.

À six semaines

Vous commencerez à leur donner des bouillies à base de pain ou de viande hachée et, selon l'avis de votre vétérinaire, des vitamines. Néanmoins la principale source d'alimentation, à cet âge, demeure l'allaitement maternel qu'il ne faudra pas interrompre. Sachez qu'une chienne de grande taille produit de 60 à 100 l (de 63 à 105 ptes) de lait en six semaines.

À deux mois

Le sevrage commence à deux mois. Le chiot devra s'habituer progressivenent à une nourriture plus solide; donnez-lui:

1. Le matin, une petite tasse de lait, 5 ml (1 c. à thé) d'huile de foie de morue phosphorée (après avoir demandé l'avis de votre vétérinaire).
2. Vers le milieu de la journée, 60 g (1/4 de tasse) de viande hachée, de préférence de boeuf maigre (préparez de petites boulettes que vous donnerez au chiot l'une après l'autre).
3. Dans l'après-midi, une petite tasse de lait mélangée à 5 ml (1 c. à thé) de lactose.
4. Au souper, 60 g (1/4 de tasse) de viande hachée, un biscuit pour chien et un peu de verdure remplacée à l'occasion par du riz.
5. Avant son coucher, une tasse de lait tiède, s'il en manifeste l'envie.

À trois mois

1. Le matin, du pain grillé, des biscuits en plus grande quantité et 225 ml (1 tasse) de lait enrichi de lactose.

2. Vers le milieu de la journée, 80 g (1/3 de tasse) de boeuf haché et 10 ml (1 c. à thé) d'huile de foie de morue (sur avis de votre vétérinaire).
3. Dans l'après-midi, 80 g (1/3 de tasse) de boeuf haché, du pain grillé ou des biscuits ainsi que deux cuillerées à soupe de riz bouilli ou de légumes cuits.

À quatre mois

1. Le matin, une grande tasse de lait enrichi de lactose, plusieurs tranches de pain grillé ou des biscuits et 5 ml (1 c. à thé) d'huile de foie de morue (sur avis de votre vétérinaire).
2. Vers le milieu de la journée, 80 g (1/3 de tasse) de boeuf haché ainsi que quelques cuillerées à soupe (c. à table) de riz ou de légumes cuits et trois tranches de pain grillé.
3. Dans l'après-midi, 80 g (1/3 de tasse) de boeuf haché.
4. Au souper, 225 ml (1 tasse) de lait enrichi de lactose et 15 ml (1 c. à table) d'huile de foie de morue (sur avis de votre vétérinaire).

À cinq mois

1. Le matin, 225 ml (1 tasse) de lait enrichi de lactose, plusieurs tranches de pain grillé ou des biscuits pour chien et 5 ml (1 c. à thé) d'huile de foie de morue (sur avis de votre vétérinaire).
2. Vers midi, environ 80 g (1/3 de tasse) de boeuf haché.
3. Dans l'après-midi, environ 160 g (2/3 tasse) de boeuf haché, du pain grillé ou des biscuits pour chien et une petite louche de légumes cuits ou de riz.

4. Au souper, une grande tasse de lait enrichi de lactose et 15 ml (1 c. à table) d'huile de foie de morue (sur avis de votre vétérinaire).

À six mois

1. Le matin, 0,5 l (2 1/2 tasses) de lait, trois ou quatre tranches de pain grillé ou des biscuits pour chien et, si vous arrivez à le convaincre, un jaune d'oeuf cuit.
2. Vers le milieu de la journée, 250 g (1 tasse) de boeuf haché ainsi qu'un peu de foie.
3. Au souper, 250 g (1 tasse) de boeuf haché (que vous pouvez mélanger à de la viande de cheval), une louche de légumes verts cuits ou de riz, de blé, d'avoine, d'orge cuit, et 15 ml (1 c. à table) d'huile de foie de morue (sur avis de votre vétérinaire).

De sept à onze mois

Donnez-lui une alimentation semblable à celle de l'Afghan adulte mais moins copieuse, en tenant compte de sa musculature et de son ossature. Veillez à ne pas le suralimenter et ne continuez à lui donner de l'huile de foie de morue que sur avis de votre vétérinaire.

Donnez-lui les quantités suivantes:

1. Le matin, 0,5 l (2 1/2 tasses) de lait entier, du pain grillé, un oeuf cru et 5 ml (1 c. à thé) d'huile de foie de morue (sur avis de votre vétérinaire).
2. Au repas du midi, 250 g (1 tasse) de boeuf haché, un peu de foie et quelques cartilages pour favoriser sa mastication.
3. Au souper, 250 g (1 tasse) de viande hachée et deux louches de légumes cuits ou de riz. Remar-

quez les légumes que votre Afghan préfère et digère le mieux; même si cela vous occasionne plus de travail, faites votre choix selon ses goûts. Ne lui donnez pas de petits pois, de lentilles ou d'autres féculents.

De onze à douze mois

Donnez-lui seulement deux repas par jour. Selon ses activités et les conditions climatiques, vous pourrez même ne lui donner qu'un repas par jour. Pour un régime de deux repas, préparez-lui:

1. Le matin, 0,5 l (2 1/2 tasses) de lait, un ou deux jaunes d'oeufs, deux biscuits pour chien et 5 ml (1 c. à thé) d'huile de foie de morue, s'il y a lieu.
2. Au souper, 500 g (un peu plus de 1 lb) de viande coupée en morceaux mélangée à environ trois louches de riz, de légumes, d'un peu de céréales et de pommes de terre ou de pâtes, ainsi que quelques tranches de pain.

À l'âge d'un an, votre Afghan sera devenu un chien adulte. Comme vous l'aurez suivi au cours des différents stades de son «adolescence», et cela pendant un an, vous aurez appris à connaître ses goûts et ses habitudes.

Ne vous inquiétez pas trop quand votre Afghan refuse sa nourriture: il y a peut-être un élément de sa pâtée qui ne lui plaît pas; si, malgré vos efforts, vous n'y parvenez pas, acceptez son choix et prenez ses goûts en considération. Il se pourrait également que les goûts de votre compagnon changent; là aussi il vous faudra vous incliner et découvrir, en tâtonnant, ses nouvelles préférences alimentaires.

Si vous avez décidé de faire de votre Afghan un chien de garde à temps plein, il aura besoin d'une nourriture plus abondante et vous lui donnerez alors: 600 g (un peu moins de 1,5 lb) de viande, 260 g (environ 1 tasse) de riz, de pâtes ou de céréales; 200 g (3/4 de tasse) de légumes cuits tels que carottes, haricots verts ou courgettes; 175 g (3/4 de tasse) d'aliments préparés pour chien; 5 ml (1 c. à thé) d'huile de foie de morue et des vitamines, s'il y a lieu.

Vous devez savoir que certains chiens qui ont atteint quatre ou cinq mois ont de la difficulté à digérer le lait. Si vous voyez que votre chien fait de la diarrhée, veillez à le lui supprimer, mais demandez à votre vétérinaire quoi lui donner en remplacement.

Il est important de noter également que pendant longtemps les éleveurs ont préféré donner aux chiens de la viande crue plutôt que de la viande cuite.

La valeur nutritive des aliments

La valeur nutritive des aliments que vous donnez à votre compagnon se répartit en quatre groupes principaux:

- Les *protéines*, contenues dans la viande, constituent l'élément majeur de l'alimentation du chien.
- Les *hydrates de carbone*, contenus dans le pain, les pâtes et les céréales, fournissent l'énergie nécessaire au travail et à l'activité physique.
- Les *matières grasses* fournissent l'énergie et la chaleur nécessaires pour combattre le froid. Leur quantité doit varier selon les saisons et le climat: on peut donner au chien de la viande grasse en hiver, et de la viande maigre en été.
- Les *minéraux*, contenus dans les légumes, les os broyés et dans certains aliments spécialement préparés à cet effet, facilitent la formation des os.

Il vous faut également savoir que:
- La *vitamine A* que l'on trouve, entre autres, sous forme d'huile de foie de morue est essentielle à la croissance.
- La *vitamine D* évite le rachitisme, mais il ne faudrait pas en abuser car elle pourrait provoquer la calcification des poumons et des reins.
- La *vitamine C* ne devra être administrée que si le régime alimentaire du chien est mal équilibré. Absorbée par un Afghan ayant un régime équilibré, elle pourrait provoquer des troubles hépatiques.
- La *vitamine B complexe* a son importance; votre vétérinaire vous guidera
- La *vitamine K,* indispensable à la coagulation normale du sang, pourrait cependant causer des troubles hépatiques ou rénaux.

Consultez toujours votre vétérinaire avant d'administrer des vitamines à votre chien. Un excès de vitamines pourrait provoquer un affaiblissement de l'animal ou la détérioration de son palais.

Certains aliments sont néfastes pour l'Afghan:
- le poumon qui gonfle l'estomac et qui est difficile à digérer;
- les matières grasses données mal à propos, surtout si votre animal a une tendance à l'obésité;
- la viande de porc, en général;
- les petits os pointus de poulet ou de lapin;
- les lentilles, les pois cassés et les haricots qui sont trop riches en fécule et qui sont difficiles à digérer;
- le chou;
- les condiments comme le poivre, la moutarde, etc.

Ne laissez pas les enfants gâter votre Afghan en lui offrant toutes sortes de sucreries: il deviendrait rapidement obèse. Un morceau de sucre devrait être une récompense très rare.

Vous veillerez avec attention à ce que votre chien ait toujours à sa disposition de l'eau fraîche pour se désaltérer quand il le désire.

Un bon conseil: servez-lui ses repas tièdes. Votre compagnon les engloutit immédiatement; il n'aime pas manger chaud, ce qui ne veut pas dire qu'il aime les aliments froids ou glacés.

La propreté est essentielle: n'oubliez pas de laver tous les jours la gamelle du chien; il vaut mieux jeter la pâtée que votre Afghan n'aura pas mangée.

Enfin, si vous tenez spécialement à la beauté de votre compagnon et à ce que son poil devienne très luisant, donnez-lui tous les jours soit du yogourt, soit du fromage cottage, soit du foie de boeuf ou du boeuf haché mélangé à de la nourriture sèche: vous verrez son poil devenir de plus en plus beau, ses muscles s'assouplir et son apparence se transformer. Il ne s'agit pas là de santé mais de beauté. Donnez-lui également deux fois par semaine de l'huile de maïs et, toujours pour embellir sa robe, chaque matin 5 ml (1 c. à table) de margarine de soja.

Pour embellir la robe de votre Afghan, donnez-lui chaque matin 5 ml de margarine de soja.

Son hygiène

L'Afghan, tout comme les autres chiens, a besoin d'être bien entretenu par son maître, c'est-à-dire par vous qui êtes, ne l'oubliez pas, responsable de son bien-être quotidien. Il vous en sera reconnaissant et vous le montrera par son entrain et par la fierté de son allure. En le gardant propre, vous embellissez sa robe et vous contribuez à améliorer sa santé. Un Afghan bien propre est plus sain et vivra plus longtemps; son intelligence sera plus vive que celle d'un chien qu'on laisse se débrouiller tout seul. Bien que votre Afghan soit très résistant et n'ait pas d'odeurs particulières — sauf peut-être par temps humide —, vous devez néanmoins accorder une attention spéciale à sa propreté puisque vous lui permettez de vivre à l'intérieur de votre maison.

Voyons maintenant, d'une manière détaillée, les soins à donner à votre Afghan.

Le brossage

L'orgueil que vous avez de posséder un Afghan

vous incitera à le garder toujours bien brossé. Vous le brosserez à fond tous les deux jours, ce qui permettra d'éliminer le poil mort et les différents parasites susceptibles de s'introduire dans le pelage de votre chien.

Vous commencez le brossage en humectant la fourrure à l'aide d'un vaporisateur d'eau. Ensuite brossez-la à rebrousse-poil pour bien l'aérer, puis humectez de nouveau. Quand tout le poil est humecté et que l'humidité l'a traversé grâce au massage de vos doigts, prenez la brosse de fil de fer et commencez sa toilette. Brossez-le toujours dans le sens du poil en commençant par le garrot et en continuant vers l'arrière-train jusqu'à la queue. Terminez par les pattes. Tout en dépoussiérant votre Afghan, vous enlèverez les poils superflus et lui éviterez de les avaler.

Le brossage donnera un beau lustre au pelage de votre compagnon: votre Afghan aura fière allure. Il appréciera tout particulièrement le brossage énergique.

Le toilettage

De deux choses l'une: ou vous vous décidez à passer vingt minutes par jour au toilettage de votre Afghan, ou vous vous en remettez au toiletteur professionnel; ce qui est certain, c'est que vous ne pouvez pas laisser l'Afghan sans toilettage, il perdrait une grande partie de son attrait.

Apprenez au chien dès son plus jeune âge, c'est-à-dire entre trois et quatre mois, à se laisser manipuler et à rester tranquille quand on le brosse, à accepter le bain et le peigne, et à ne pas sauter de la table. Sachez que plus le chiot est jeune, plus vite il apprendra ces choses élémentaires.

Dès que le chien a six mois, brossez-le tous les deux jours comme nous vous le conseillons dans la partie consacrée au brossage. Utilisez une brosse à poils métalliques longs et souples. Démêlez tout d'abord la partie des poils la plus éloignée de la peau pour terminer par celle qui est tout près du corps. Si un noeud arrête la brosse, n'essayez pas de forcer; prenez-le entre vos doigts et écartez les poils, la bourre et les poils morts. Dès que le noeud est défait, continuez à la brosse. Passez ensuite le peigne à larges dents sur tout le corps du chien.

Brossez le corps du chien quand il est en position allongée sur la table, en faisant des raies de cinq à six centimètres de large de chaque côté. Faites ces raies longitudinalement en commençant près du dos, rabattez chaque fois les mèches vers l'arrière, et terminez par le ventre. Si, pendant l'opération, votre compagnon n'a pas bougé, il devrait avoir, de la poitrine jusqu'entre les cuisses, le poil tout rebroussé quand le brossage est terminé. Vous laisserez ensuite votre Afghan se mettre debout et vous le peignerez avec un peigne à larges dents en allant toujours bien jusqu'à la racine du poil afin qu'aucun noeud ne subsiste. Les pattes se brossent de la même manière; n'oubliez pas d'insister sous les aisselles et autour du sexe.

L'entretien constant des poils de l'Afghan est essentiel; si vous vous arrêtez pendant deux ou trois semaines, votre travail de six mois sera réduit à néant.

Quand votre Afghan mue, vous devez prendre soin de ses poils tous les jours. Soyez toujours délicat quand vous procédez au démêlage. Vous pouvez entretenir le poil avec un produit à base d'huile d'amande douce, de coco ou de vison.

Le bain

Vous devez habituer progressivement votre chien au bain. Ne le faites pas brutalement en le jetant dans l'eau.

Si vous voulez qu'il apprécie son bain, vous devez être très patient jusqu'à ce que cela lui devienne naturel et routinier.

Un chiot doit être baigné une fois par semaine; par contre, arrivé à l'âge adulte, votre Afghan ne doit être baigné qu'une fois par mois au grand maximum. Sachez que le bain ne lui est guère recommandé. Si le chien est seulement crotté, enlevez la saleté superficielle; sinon vous enlèveriez la graisse naturelle qui recouvre son poil et qui le protège du soleil et du froid. Demandez conseil à votre vétérinaire; connaissant bien votre chien, il saura vous dire ce qu'il y a lieu de faire en ce qui concerne cet aspect de son hygiène.

En été, lorsqu'il fait beau, vous pouvez le baigner en plein air et le laisser s'ébrouer et sécher au soleil. Veillez à ce qu'il soit à l'abri des courants d'air. En hiver, utilisez un endroit bien fermé et essuyez-le soigneusement pour lui éviter les rhumatismes.

Remplissez la baignoire d'eau tiède à environ 40 °C (104 °F). Toute la partie inférieure du corps de votre Afghan doit être dans l'eau. Pour éliminer les parasites du pelage, employez un shampooing antiparasitaire. Commencez par lui savonner la tête, et continuez dans le sens du poil jusqu'à la queue et aux pattes. Faites-le très soigneusement. Rincez une première fois en évitant de lui mouiller le museau et en protégeant ses oreilles de l'eau. Soyez doux et patient. Même lorsqu'il veut vous montrer à quel point c'est agréable! Profitez du bain pour vérifier la propreté de ses oreilles et pour les nettoyer à l'aide de coton enroulé autour d'un bâtonnet. Soyez très prudent, car les oreilles d'un chien sont très sensibles; il pourrait avoir des mouvements brusques en y sentant un corps étranger.

Quand vous aurez terminé, sortez votre Afghan de la baignoire et éloignez-vous rapidement afin d'éviter de vous faire mouiller lorsqu'il s'ébrouera. Frottez-le ensuite énergiquement avec des serviettes.

À l'approche de l'hiver, et plus particulièrement pendant les périodes de grand froid, nous vous conseillons d'employer des shampooings secs: il vaut mieux ne pas mouiller votre chien. Ces shampooings secs éliminent les parasites, assouplissent et font briller la fourrure.

Si votre Afghan vous revient d'une «expédition» couvert de boue, vous avez le choix entre le frotter avec des linges humides, puis l'essuyer, ou bien laisser sécher la boue et le brosser ensuite. Si son poil est taché de graisse, de peinture ou de goudron, frottez-le avec un chiffon imbibé d'essence, de térébenthine ou d'éther. Rincez soigneusement ensuite.

Les ongles

L'entretien des ongles de votre compagnon est très important. Le meilleur moyen d'empêcher qu'ils ne deviennent trop longs est encore de faire marcher votre chien. L'exercice les maintiendra à la bonne longueur.

Mais si le chien sort peu, comme la pousse des griffes est constante, elles le gêneront lors de ses déplacements. Baignez ses griffes dans de l'eau tiède, jusqu'à ce que les ongles soient ramollis; coupez-les ensuite et veillez, en les regardant à contre-jour, à n'enlever que la partie morte; vous éviterez ainsi de blesser votre Afghan. Utilisez un instrument spécial et non ceux réservés à l'usage humain. Vous pouvez également choisir de les lui limer, mais procédez alors avec beaucoup de douceur. Pensez à lui couper les ongles toutes les deux semaines.

Les oreilles

Soignez tout particulièrement les oreilles de votre

Afghan. Elles doivent toujours être d'une propreté exemplaire. Deux fois par mois, vous préparerez une solution composée de 50 p. 100 d'eau et de 50 p. 100 de peroxyde et vous lui masserez les oreilles avec cette solution. Vous les sécherez avec des boules de coton.

Les dents

La meilleure façon de garder saines les dents de votre Afghan est encore de lui donner des os à ronger et de lui faire manger du pain blanc sec et des biscuits très durs. Ne lui donnez pas la possibilité de croquer des morceaux de bois dur ou des pierres, cela risquerait d'abîmer irrémédiablement l'émail de ses dents. Si votre chien est de bonne nature, vous pouvez lui administrer un brossage normal des dents à l'aide d'un dentifrice pour chien. Vous pouvez aussi essayer de lui frotter les dents avec un chiffon humide trempé dans du bicarbonate de soude ou dans du jus de citron.

Évitez les friandises trop sucrées: elles contribuent au développement des caries. Examinez régulièrement les dents de votre Afghan, il pourrait s'y accumuler du tartre, ce dépôt calcaire qui recouvre progressivement les molaires et les canines, qui donne une mauvaise haleine et favorise le déchaussement des dents et les infections des gencives. Quoi qu'il en soit, vous devriez consulter, au moins une fois l'an, votre vétérinaire qui vous guidera judicieusement.

Les yeux

Il est possible que les yeux de votre Afghan soient rouges et larmoyants. Cela peut arriver après un plus ou moins long séjour en plein vent ou si un corps étranger s'est glissé sous ses paupières; à titre de prévention, ne laissez pas votre compagnon passer la tête par la fenêtre lorsque vous l'emmenez en voiture. Lavez-lui les yeux avec une solution d'acide borique que vous trouverez dans toutes les pharmacies. Imprégnez-en un tampon de coton hydrophile et passez-le-lui sur les yeux.

En cas de conjonctivite, adressez-vous à votre vétérinaire qui prescrira les remèdes à lui donner.

Les parasites

Bien que votre Afghan ne soit pas particulièrement sujet aux parasites, il vous faudra vérifier méticuleusement, lors de la séance de brossage, si votre animal n'en est pas infesté.

Les *puces* ne sont pas vraiment dangereuses, et vous pouvez les éliminer en ayant recours à des poudres antiparasitaires. Les puces canines n'aiment pas l'homme et ne quittent le poil d'un chien que pour celui d'un autre chien.

Les *poux,* lorsqu'ils ont infesté le poil de votre Afghan, sont la cause de bien des tracas. Il est difficile de les éliminer complètement. Ils se reproduisent très rapidement, et leur présence peut devenir dangereuse pour votre compagnon. Il y a de fortes chances pour que votre Afghan ait des poux s'il se gratte sans arrêt les oreilles. Donnez-lui des bains avec des produits antiparasitaires; si vous n'arrivez pas à l'en débarrasser rapidement, consultez sans tarder votre vétérinaire. Sinon, votre Afghan pourrait être atteint d'anémie, ce qui l'affaiblirait considérablement.

Les *tiques* sont des parasites qui sévissent surtout pendant l'été dans nos régions. Ce sont les chiens vivant en contact avec des bestiaux qui en sont les plus menacés. Elles peuvent provoquer des infections de la peau lorsqu'on essaie de les arracher sans prendre de précautions. La tête des tiques reste incrustée dans la peau quand vous en arrachez le corps, et provoque ainsi de l'infection. Il vaut donc mieux faire prendre à votre Afghan des bains avec des produits antiparasitaires, de l'essence ou de l'alcool. Une fois que les tiques sont mortes, laissez-les tomber d'elles-mêmes sans essayer de les arracher.

On les retrouve sur la base des oreilles, sur le cou, entre les doigts et sous les aisselles du chien. Dès que vous remarquerez que votre Afghan en est infesté, occupez-vous-en.

Il existe aujourd'hui toute une gamme de colliers antiparasitaires qui assureront à votre chien une assez bonne protection. C'est une façon efficace et discrète de le protéger d'une manière permanente. Mais il vaudra toujours mieux ne pas laisser votre Afghan, que vous soignez avec tant d'attention, se mêler aux chiens errants de votre voisinage.

Sa santé

Si vous remarquez que votre Afghan est triste, qu'il ne répond pas à vos appels et reste dans son coin, alors qu'il est habituellement gai, actif, vif et expressif, il y a tout lieu de penser qu'il est malade. Prenez sa température rectale avec un thermomètre médical: elle est normalement de 38,2 °C à 38,7 °C (de 100,7 °F à 101,6 °F) chez l'Afghan adulte et d'environ 39 °C (102,2 °F) chez le chiot. Si elle dépasse largement 39 °C (102,2 °F) ou si elle est nettement en dessous de 38 °C (100,4 °F), vous devez être très vigilant. Si cette température anormale s'accompagne de vomissements ou de diarrhée, n'hésitez pas à consulter votre vétérinaire.

Vous devez également savoir que le pouls normal d'un jeune Afghan est de 110 à 120 pulsations par minute; celui d'un Afghan dans la force de l'âge, de 90 à 100 et celui d'un vieux chien, de 70 à 80.

Le jeune chien au repos a de 18 à 20 respirations par minute. L'Afghan adulte en a de 16 à 18 et un vieil Afghan, de 14 à 16.

D'autre part, votre Afghan n'est pas à l'abri des blessures, des fractures ou des brûlures. Il peut également être atteint de différentes maladies parasitaires dont nous parlerons plus loin.

Vous devez savoir que les maladies évoluent à travers le temps. Certaines maladies ont disparu, mais rien ne nous dit qu'elles ne ressurgiront jamais. D'autres peuvent porter un autre nom en d'autres lieux. Ne vous affolez pas; si vous avez le moindre doute lorsque vous constatez un symptôme, consultez votre vétérinaire qui a les moyens d'intervenir efficacement.

Les accidents

Les blessures

Il y a plusieurs types de blessures: les coupures, les contusions et les plaies superficielles ou profondes.

Bien que parfois compliquée d'une hémorragie, la *coupure* est une blessure habituellement bénigne. Vous devez d'abord stopper l'écoulement du sang en tamponnant la coupure à l'aide de compresses de gaze ou en garrottant le membre juste au-dessus de la blessure. Dans les cas graves, vous devrez ligaturer les vaisseaux. La désinfection et la propreté sont indispensables; avant même de vous occuper de la blessure, rasez les poils tout autour. Si la blessure est longue, vous devrez pratiquer quelques points de suture. En soulevant la peau du chien, vous y arriverez aisément. Si la blessure est superficielle, ne la recouvrez pas de pansements afin de permettre à votre Afghan de la lécher: la salive favorisera la guérison en évitant l'infection et accélérera la cicatrisation.

Bien que les blessures provoquées par une pointe ne soient pas longues, elles sont souvent très profondes et peuvent s'infecter: des germes peuvent s'introduire accidentellement sous la peau et résister à toute médication. Si ces cas d'infection sont rares, ils n'en sont pas moins très douloureux; vous devrez désinfecter ces blessures en profondeur par irrigation.

La *contusion* est une lésion produite par un choc sans qu'il y ait déchirure de la peau de l'Afghan. Commencez par désinfecter en lavant la lésion avec une solution antiseptique. Comme pour la coupure, rasez les poils autour de la lésion de votre Afghan. Bandez-le selon l'emplacement de la blessure, de façon à ne pas nuire à ses mouvements. Une contusion guérira plus lentement qu'une coupure.

Au cours d'une partie de chasse, votre Afghan qui vous accompagne peut aussi, malheureusement, être touché par une balle perdue ou être pris à un piège. Gardez la tête froide et évaluez très rapidement la situation. Si votre chien est atteint à la tête, à la poitrine ou au ventre, c'est-à-dire blessé gravement par une balle, et que vous êtes incapable de le transporter en moins d'une heure chez le vétérinaire le plus proche (ou même chez un pharmacien), vous devrez vous résoudre à ne pas le laisser souffrir inutilement. Si la blessure par balle est superficielle ou profonde, sans être dangereuse, munissez-vous d'un bâton pas trop long mais suffisamment solide et faites-le mordre par le chien. Enveloppez ensuite votre Afghan dans une couverture, un imperméable ou une bâche et amenez-le le plus vite possible chez un vétérinaire.

S'il est pris au piège, procédez comme pour une blessure par balle, faites-lui mordre un bâton et faites le nécessaire pour empêcher votre compagnon de s'enfuir une fois que vous l'aurez libéré du piège.

La bataille de chiens

Une bataille de chiens peut dégénérer très rapidement. Attrapez une laisse ou même, si vous n'en avez pas sous la main, prenez votre ceinture et tapez très fort dans le tas. Sachez qu'un bon coup de fouet cinglera les bêtes, mais que c'est bien moins grave qu'une vilaine morsure. N'hésitez pas, soyez énergique et faites vite: tous les ordres et les cris ne servent absolument à rien dans un cas pareil.

L'insolation et le coup de chaleur

Les symptômes de l'insolation et ceux du coup de chaleur sont les mêmes. Si votre Afghan court ou marche longtemps en plein soleil, l'été, il est possible qu'il soit victime d'un coup de chaleur: son système nerveux central sera atteint. Ses poumons et son sytème cardio-vasculaire peuvent également être touchés. Les symptômes apparaissent subitement: le chien semble soudainement affaibli, sa démarche devient hésitante, il respire par saccades et tombe. N'attendez pas le vétérinaire pour dispenser les premiers soins: l'insolation peut être mortelle.

La première chose à faire est de porter votre Afghan à l'ombre, sous un arbre, par exemple; essayez de trouver un endroit ombragé et frais. Faites baisser sa température en lui appliquant des compresses d'eau très froide sur la tête et sur le reste du corps. Appelez ou faites appeler un vétérinaire; en attendant son arrivée, donnez à votre compagnon un peu de café pour lutter contre la dépression; vous l'aiderez ainsi à surmonter sa crise. Ne laissez jamais votre Afghan dans une automobile hermétiquement fermée en plein soleil. N'oubliez pas que l'Afghan, comme les autres chiens, ne supporte pas les trop fortes chaleurs.

L'aggravée

Il s'agit de l'inflammation des soles d'un Afghan qui a marché trop longtemps sur des terrains trop durs ou trop cailouteux. L'aggravée peut aussi toucher le chien qui a marché sur le chaume resté sur place après la moisson. Les soles de votre animal peuvent aussi s'enflammer s'il se promène longtemps, par temps chaud, sur des routes goudronnées. Il se formera, au niveau des coussinets plantaires et des espaces interdigitaux, des plaies très douloureuses qui rendront la marche difficile et pénible, sinon impossible.

Cette inflammation est la plupart du temps assez longue à guérir. Laissez votre chien au repos sur un terrain non sablonneux; évitez le gravier, le ciment et l'humidité. Des bains astringents à base d'alun le soulageront. Vous pouvez également pulvériser un liquide antiseptique, qui formera une pellicule isolante sur les parties touchées par la maladie.

Les chiens perdus ou épuisés

Le fait de s'égarer ou d'être épuisé est plus fréquent chez les tout jeunes Afghans, mais il se peut fort bien que cela arrive à un Afghan adulte.

Il arrive que l'on ne trouve son chien qu'au bout de plusieurs jours de recherche. Le chien épuisé cherchera à se désaltérer et se rapprochera d'une habitation afin d'être nourri; étant un chien de maison, il n'est pas capable de subvenir lui-même à ses besoins, puisqu'il a l'habitude d'être ponctuellement servi par son maître.

À partir du troisième jour de jeûne environ, un chien citadin peut devenir méchant. La soif et la faim peuvent le rendre fort dangereux; évitez tout contact entre votre Afghan et un chien dans cet état. Essayez d'enfermer ce chien perdu et donnez-lui à boire et à manger raisonnablement. Prévenez la police locale et voyez les petites annonces dans la presse afin de vérifier les avis de recherche.

Les fractures

Il y a quatre genres de fractures: fermées, ouvertes, comminutives et composées.

La *fracture fermée* est la plus fréquente: l'os se casse sans sortir du membre du chien. La réduction de la fracture fermée est la plus facile. Par contre, quand l'os sort du membre, il s'agit d'une *fracture ouverte*. L'os provoque des blessures externes qui entraînent certaines complications. Quand l'os se casse en plusieurs morceaux, il s'agit d'une *fracture comminutive*. Quand l'os provoque des déchirures externes, tout en se cassant en plusieurs morceaux, il s'agit d'une *fracture composée*.

Que devez-vous faire en cas de fracture? Nous vous conseillons, comme premiers soins, de désinfecter et de nettoyer les blessures faites par les fractures ouvertes. Enlevez les fragments osseux. Prenez une petite planche pour immobiliser le membre du chien et tenez-le tranquille jusqu'à ce que vous ayez réduit la fracture. Une des principales causes de fracture est la circulation routière qui augmente sans cesse. Vous pourriez éviter, du moins partiellement, ces accidents en ne laissant pas votre Afghan se promener seul, en faisant attention de ne pas l'appeler de façon inconsidérée en l'obligeant à traverser une rue pour vous rejoindre, ou encore en le dressant de façon à limiter ce type d'accident.

Une des fractures les plus graves causées par des collisions est celle de la colonne vertébrale: elle entraîne la paralysie du train postérieur au mieux, la mort au pire.

Dans un cas pareil, il est préférable d'abréger les souffrances de votre compagnon.

Il en est de même si les fractures sont accompagnées de la rupture d'un organe interne: dans la plupart des cas, n'ayez pas trop d'espoir quant à la survie de votre chien.

Les piqûres d'insectes

Les piqûres d'insectes, comme celles des abeilles, frelons et guêpes, sont moins dangereuses qu'une morsure de vipère. Néanmoins, dans les cas sérieux, consultez votre vétérinaire. Mais dès que le chien a été piqué, tamponnez la région blessée avec du vinaigre ou du poireau frais. Certains chiens sont allergiques à ces piqûres, et leur vie peut être en danger. Si votre vétérinaire n'est pas à proximité, emmenez votre chien à la clinique la plus proche.

Les orties

Votre Afghan, en traversant des touffes d'orties, pourrait attraper une certaine forme d'urticaire. Très rapidement, il éprouvera une sensation de brûlure et un prurit violent, surtout sur les parties de son corps ou la peau est très fine. Votre chien, par instinct, se léchera souvent et avec force. De cette façon, les poils atteints d'urticaire peuvent, malheureusement, pénétrer dans ses muqueuses respiratoires, provoquant à la limite l'asphyxie.

Appliquez des pommades ou des lotions antiprurigineuses et calmantes sur les parties du corps atteintes d'urticaire. Vous pouvez également appliquer des lotions d'eau froide et de vinaigre.

L'électrocution

Si votre chien est bien portant et pas trop nerveux, les clôtures électriques ne sont pas vraiment dangereuses. Si par malheur, votre Afghan touche une installation électrique mal isolée ou mord un fil, il perdra connaissance. Pratiquez-lui la respiration artificielle: couchez-le sur le côté, puis poussez-lui sur les côtes toutes les deux secondes environ.

Les intoxications

L'Afghan peut être empoisonné par une main criminelle, mais il peut aussi l'être accidentellement s'il absorbe des produits toxiques répandus sur le sol pour dératiser ou pour détruire d'autres bêtes nuisibles. Les compositions chimiques de ces produits sont fort différentes les unes des autres; aussi leurs conséquences sur l'organisme sont très variées. Consultez au plus vite votre vétérinaire. Malheureusement, certains produits toxiques, comme la strychnine et la noix vomique, ont un effet foudroyant, et rien ne pourra sauver l'animal.

Les brûlures

Les brûlures sont moins rares qu'on ne le pense. Méfiez-vous des pique-niques à la campagne. S'il se brûle, votre Afghan peut devenir fou furieux. À la suite d'un affaiblissement physiologique brusque (collapsus) qui succède à la destruction de l'épiderme, les brûlures sont dangereuses et fort douloureuses et peuvent même causer la mort de votre Afghan.

Les brûlures se divisent en trois catégories selon leur gravité. Les *brûlures du premier degré* sont les plus légères: la peau présente un rougissement, et la brûlure évolue vers une inflammation érythémateuse; votre chien éprouve une sensation douloureuse. Les *brûlures du second degré* se caractérisent par la formation de petites ampoules qui, en perçant, libèrent un liquide séreux et donnent naissance à de petites plaies; celles-ci se cicatriseront. Les *brûlures du troisième degré* sont les plus graves. Il s'agit, dans ce cas, d'une carbonisation des tissus, suivie de la formation d'une croûte qui disparaîtra avec la cicatrisation.

Commencez par bloquer la mâchoire de l'Afghan avec un bâton. Les brûlures se soignent avec des bains froids de solution borique à 3 p. 100 et des applications de poudres absorbantes. Comme premiers soins, appliquez de l'huile d'olive, de la vaseline, de la pommade à la lanoline ou à l'ichtyol, du blanc d'oeuf battu, du beurre, de la margarine ou de la graisse animale. Percez les ampoules pour en faire sortir le liquide en appliquant sur l'endroit blessé une poudre à base d'antiseptique. N'oubliez jamais de commencer par désinfecter la plaie à l'aide de poudres absorbantes.

En cas de brûlures provoquées par une substance chimique, vous pouvez en neutraliser l'action en utilisant une substance alcaline, si la brûlure est causée par des acides, ou des préparations acides, si la brûlure est provoquée par des bases.

Les corps étrangers

L'Afghan, comme d'ailleurs tout autre chien, peut avaler divers corps étrangers. Ce sont les chiots qui doivent être le plus surveillés. La liste des objets dangereux est longue et il est impossible de tous les énumérer. Prenons quelques exemples: les aiguilles de couturière peuvent se planter dans la gorge ou dans la langue. Le chien hurlera et bavera; il ne pourra plus manger. Un chiot, ou même un chien adulte, peut avaler par inadvertance un morceau de jouet en caoutchouc, un noyau de pêche, un os de côtelette, un caillou ou un bouchon.

N'essayez pas d'intervenir vous-même, vous pourriez être mordu et lui faire plus de mal que de bien. Emmenez l'animal chez votre vétérinaire. Vous constaterez d'ailleurs la gravité de son état si vous le voyez vomir «jaune» et si son abdomen semble douloureux. Votre vétérinaire lui fera une palpation et une radiographie. Il établira son diagnostic selon les résultats: il devra peut-être procéder à l'ouverture de l'estomac ou des intestins. Évitez donc de laisser traîner des objets pouvant être avalés et apprenez à vos enfants à ne jouer qu'à des jeux inoffensifs afin de ne pas vous exposer à voir votre chien sur une table d'opération.

Les épillets

Les épillets, surnommés les folles avoines, peuvent se planter entre les doigts, dans le nez et dans les oreilles et provoquer des abcès et des inflammations. L'oreille y est spécialement sensible puisque les petits épillets se glissent progressivement au fond du conduit auditif où ils demeurent coincés. L'Afghan penchera la tête du côté de l'oreille atteinte, secouera assez violemment la tête et deviendra nerveux. Dès que vous remarquerez ces symptômes, soulagez-le immédiatement en lui enlevant l'épillet à l'aide d'une petite pince. Si, dès les premiers symptômes, l'extraction est facile, vous aurez par contre des difficultés à repérer l'épillet enfoncé trop loin. Consultez votre vétérinaire qui, grâce à l'otoscope, en viendra à bout.

Si vous ne vous en occupez pas, il y a de fortes chances pour qu'une otite inflammatoire et une suppuration s'installent et conduisent au catarrhe auriculaire chronique. Comme nous le faisions remarquer, l'épillet se rencontre fréquemment dans les espaces interdigitaux; ils peuvent provoquer un abcès qui devra être largement débridé et débarrassé du corps étranger. Si cela n'est pas fait, l'épillet continuera son chemin tout au long des gaines tendineuses ou musculaires et pourra provoquer, dans une région éloignée de son point d'impact, des abcès successifs.

Les morsures de reptiles

Les lèvres, la truffe et l'extrémité des membres sont les endroits les plus vulnérables aux morsures de serpent. Votre Afghan se mettra habituellement à vomir et poussera des hurlements de douleur. Vous remarquerez, dans la région mordue, une plaie tuméfiée et violacée, qui deviendra douloureuse, qui s'enflammera et prendra la forme d'une auréole. Cette morsure sera plus dangereuse si la vipère n'a pas mordu depuis sept jours; elle injectera alors au chien tout son venin. Plus l'animal est jeune, plus cette morsure risque d'être mortelle.

Il faudra intervenir très rapidement en faisant saigner abondamment en débridant au couteau, puis en suçant la plaie et en recrachant le venin. Placez un garrot au-dessus de la plaie. Lavez avec de l'eau javellisée dans une proportion de 4 à 5 c. à soupe (c. à table) par litre (pinte) d'eau ou avec une solution de permanganate contenant un comprimé pour 250 ml (1 tasse) d'eau. Ceci fait, injectez-lui du sérum antivenimeux qu'il est indispensable d'avoir toujours dans vos bagages quand vous sortez avec votre chien à l'extérieur de la ville.

La couleuvre mord parfois; mais même si c'est douloureux, sachez qu'il n'y a pas de danger pour votre compagnon.

Le danger des élastiques

Ne placez jamais un élastique autour du museau de votre Afghan ou de sa patte. Il pénétrerait rapidement dans la peau et provoquerait une inflammation marquée par les poils et l'exsudation. Il faudrait alors le faire exciser. Faites bien comprendre à votre entourage, et surtout aux enfants, qu'il s'agit là d'un jeu fort dangereux.

Les maladies

Les symptômes de maladie chez votre Afghan

Bien que de constitution robuste, votre Afghan demeure sujet à certaines maladies. Le chien, comme d'ailleurs tous les autres animaux, manifeste par des signes très clairs qu'il est sur le point d'être malade. Il est évidemment plus facile d'y être attentif si l'animal vous appartient; à force de vivre avec lui, vous saurez repérer rapidement les signes avant-coureurs et vous pourrez alors procéder aux soins nécessaires avant que la maladie qui couve ne devienne grave ou même chronique.

Si vous remarquez un changement dans ses habitudes quand il joue, s'il change d'humeur ou que son comportement lors des repas est différent, s'il se laisse traîner pendant la promenade ou s'il est tout simplement triste, faites-lui subir un examen complet: mieux vaut prévenir que guérir.

Votre chien ne peut parler, mais il s'exprimera par des signes extérieurs. Il commencera par se désintéresser de sa nourriture et des jeux. Il ne cherchera plus la compagnie des autres et préférera rester seul; il refusera de faire sa promenade et aura l'air indifférent. Ne perdez pas votre calme lorsque vous remarquerez ces symptômes chez votre Afghan; surtout, ne le forcez pas à manger ou à vous obéir.

Lorsque la maladie se développe, vous remarquerez que sa truffe est plus chaude que d'habitude; elle deviendra également sèche et rêche. Prenez la température de votre chien à l'aide d'un thermomètre médical introduit dans l'anus. La température normale de votre compagnon, en bonne santé, ne devrait pas dépasser 39 °C (102,2 °F). Vérifiez également son pouls en appuyant votre doigt sur la veine qui se situe à l'intérieur de la cuisse; normalement il devrait avoir entre 70 et 120 pulsations par minute. Cette marge de 50 pulsations est due à la grande différence dans le nombre des pulsations entre les moments de repos et les moments de surexcitation ou d'activité.

Apprenez à diagnostiquer au plus vite les diverses maladies dont nous allons énumérer les symptômes plus loin, afin que votre Afghan reçoive les soins appropriés au plus tôt, pour enrayer l'évolution de la maladie. Par exemple, la rage se caractérise par certains symptômes: le chien a toujours la gueule ouverte, il n'aboie plus de la même façon et il a toujours envie de mordre.

En résumé, il faut toujours surveiller les changements de comportement de votre chien, son manque d'appétit et son besoin de solitude, car ce sont là les premiers symptômes de toute maladie.

Les causes de maladie chez votre Afghan

Vous n'avez pas spécialement à vous inquiéter des maladies que votre Afghan pourrait contracter; comme nous vous l'avons dit, ce chien est particulièrement robuste et n'a donc pas, généralement, de graves problèmes de santé. Néanmoins, vous devez savoir que certains chiens sont prédestinés à la maladie et que, malgré les soins qui leur seront prodigués, ils auront toujours des problèmes de santé.

Si vous gardez votre Afghan dans votre appartement, il pourrait être sujet à l'eczéma; luttez contre cette maladie en lui faisant faire beaucoup d'exercice en plein air.

Les problèmes héréditaires que l'on pourrait rencontrer chez l'Afghan sont plutôt rares; citons néanmoins de rares cas de cataractes (opacification du cristallin) qui peuvent causer la cécité. La cataracte juvénile congénitale doit être prise au sérieux et les éleveurs s'efforcent de l'éliminer.

Les lices (femelles de chiens de chasse) afghanes peuvent souffrir de lactation nerveuse bien que ce soit une affection plutôt rare chez les chiens de grande taille. On pourrait l'expliquer par le tempérament «trop affectueux» de l'Afghan et par l'attachement au maître qui entraîne automatiquement un «hyperchouchoutage». Plusieurs remèdes peuvent combattre cette affection: le régime, la queue de persil pilée et avant tout beaucoup d'exercices. Il devrait s'agir d'exercices longs et fatigants: 40 et même 50 km.

Les Afghans peuvent aussi souffrir d'un coup de soleil sur le nez (une dermite solaire sur la truffe). Il serait donc préférable de ne pas exposer votre compagnon au soleil, en été, entre midi et 15 heures. Les huiles et produits solaires ne sont pas toujours efficaces. Si le mal est fait, soignez votre Afghan avec des crèmes dermiques et mettez-le rapidement «à l'ombre»...

Nous n'allons pas entrer dans le détail des causes de la faiblesse de certains Afghans puisque la plupart d'entre eux sont sains; il arrive que certains croisements destinés à améliorer les qualités de la race rendent certains de ses représentants plus sensibles aux maladies, et particulièrement à la gourme. À titre de prévention, évitez que les chiots soient exposés aux changements de température trop rapides et à l'humidité. Cette tendance ne doit pas vous inquiéter outre mesure; elle est contrôlable et peut être neutralisée grâce à des règles d'hygiène très strictes et à une surveillance continuelle de la condition physique de votre chien.

Les soins à l'Afghan

Le chien se soigne, habituellement, de la même manière que l'être humain. Il doit absorber des médicaments et recevoir des injections; tout comme l'homme, il doit parfois subir des interventions chirurgicales. Le grand problème, c'est qu'il ne parle pas... Il ne peut pas vous expliquer pourquoi il déteste certains médicaments alors qu'il en prendrait d'autres bien volontiers. Il existe une bonne méthode pour administrer à un chien un médicament qu'il n'aime pas: donnez-le-lui en l'introduisant sur le côté de la gueule. Calmez l'animal en lui parlant doucement, prenez dans votre main droite la cuillère qui contient le médicament, en soulevant avec la main gauche la lèvre du chien; vous allez découvrir une cavité près de l'angle de la mâchoire, et il vous sera facile d'y verser le contenu de la cuillère. L'Afghan avalera naturellement le médicament.

Si vous avez des soins prolongés à donner à votre chien, utilisez des «cuillères couvertes», spécialement conçues pour faciliter l'introduction du médicament dans la cavité de la lèvre inférieure. Si vous devez faire absorber à votre chien un médicament en poudre ou en gouttes, mélangez-le avec de l'eau, de la viande hachée, du sucre, du lait, du pain ou tout autre ingrédient.

Vous n'aurez aucune difficulté à faire une injection à

votre chien, sauf s'il s'agit d'une intraveineuse. N'oubliez jamais de stériliser convenablement la seringue et d'éliminer les bulles d'air qui se forment quand vous aspirez le liquide dans la seringue. Désinfectez toujours la partie du corps qui doit être piquée en la frottant avec de l'alcool. Lorsqu'une injection intraveineuse s'avère nécessaire, il vaut mieux s'adresser à un vétérinaire. Il fera l'injection dans la veine saphène qui se trouve sous le jarret.

Les lavages vaginaux, les clystères et les diverses applications externes ne devraient pas vous poser de problèmes particuliers. Liez bien les bandages car votre Afghan essaiera de les enlever.

Soyez patient et compréhensif; soignez votre chien dans une atmosphère de calme. Vous verrez comment il est alors plus facile de le soigner et de le remettre vite sur patte.

Les parasites externes

Les puces

La puce est de loin le parasite externe le plus commun chez le chien. Habituellement, les morsures de puces causeront des démangeaisons et des lésions dont la gravité est souvent proportionnelle au nombre de morsures. Votre Afghan peut par ailleurs développer une allergie à la salive de puce. Dans ce cas, le nombre de morsures importe peu. Quelques morsures par semaine suffiront à entretenir des démangeaisons intenses et des lésions cutanées plus ou moins sévères. Dans les cas de dermatite causée par une allergie aux piqûres de puces (DAPP), l'élimination des puces dans l'environnement et sur le corps de votre Afghan est primordiale. Il existe sur le marché un nombre incroyable d'insecticides présentés sous une multitude de formes telles que shampooing, produit de rinçage, poudre, aérosol, collier, etc. Pour vous en faciliter le choix, votre vétérinaire saura vous conseiller selon le degré d'infestation, l'âge et l'état de santé de votre Afghan, selon qu'il souffre d'allergie aux piqûres de puces ou pas, etc. Comme dernier point, mentionnons que la puce est l'hôte intermédiaire d'un ver plat, le *dipylidium caninum*. C'est-à-dire que la puce peut transporter et transmettre ce ver solitaire. Un chien parasité par les puces l'est souvent par les vers plats.

Les tiques

Les tiques sont rencontrées plus souvent l'été. Elles ont la particularité d'enfoncer la tête dans la peau pour se nourrir de sang, rendant l'élimination de ces parasites plus difficile. Il ne faut surtout pas tirer sur la tique, car de cette façon, on arrachera le corps, alors que la tête restera incrustée dans la peau. Il est préférable de faire prendre à votre animal des bains antiparasitaires.

Les poux

Heureusement plus rares, ces parasites externes, peuvent à l'occasion infester les chiens. Des bains antiparasitaires en viendront à bout dans la majorité des cas.

Les mites

Les mites d'oreilles (otoacariase). Il s'agit d'une parasitose assez fréquente chez le chien. Ces mites ressemblent à des araignées microscopiques. Elles vivent et se reproduisent dans le conduit auditif externe de l'oreille.

Ces parasites mordent et irritent le canal de l'oreille, causant une otite parasitaire qui se manifestera par la présence de croûtes brunâtres (sang desséché) à l'intérieur du canal de l'oreille. Le chien se grattera les oreilles et secouera fréquemment la tête. L'otoacariase est très contagieuse pour tous les habitants à quatre pattes de la maisonnée. On parviendra à éliminer les mites par l'application régulière d'une préparation otique prescrite par le vétérinaire. À l'occasion, une anesthésie générale sera nécessaire pour permettre un nettoyage.

Les affections de la peau

La gale sarcoptique

La gale sarcoptique est causée par une mite (*sarcoptes*) qui creuse des tunnels dans la peau. Elle se manifeste par des démangeaisons intenses. La peau sera rouge, croûteuse et sera sujette à des infections bactérienne secondaires. Cette condition est contagieuse pour les autres chiens, mais aussi pour l'homme. Le vétérinaire devra intervenir rapidement.

La gale démodectique

La gale démodectique (démodécie) est causée par une mite qui envahit les follicules pileux, occasionnant une chute de poils plus ou moins généralisée. Cette affection n'est pas du tout contagieuse, mais peut être héréditaire. La forme généralisée représente sûrement le problème cutané le plus pénible à traiter.

La teigne

La teigne n'est pas causée par un parasite, mais plutôt par un champignon microscopique (*fongus*). Les zones dépilées, à forme plus ou moins circulaire, auront tendance à s'étendre. En plus d'être contagieuse pour les chats et les autres chiens, elle l'est également pour les humains et plus spécialement pour les enfants. En cas de lésions suspectes, consultez votre vétérinaire sans tarder.

La dirofilariose

La dirofilariose (vers du coeur), présente depuis longtemps dans le sud et l'est des État-Unis, prend maintenant de l'ampleur et s'est répandue depuis quelques années dans la majeure partie de l'Amérique du Nord.

Comme son nom l'indique, il s'agit de vers qui s'accumulent dans les cavités du coeur droit et dans les gros vaisseaux sanguins adjacents. La présence de ces vers adultes (mesurant jusqu'à 35 cm de long) augmente de façon considérable le travail du coeur et restreint l'apport sanguin aux poumons, au foie et aux reins. Si l'infection persiste et n'est pas traitée, il en résultera une insuffisance cardiaque qui aboutira éventuellement à la mort du chien.

Ces parasites sont transmis par les moustiques. Le chien attrapera cette maladie s'il se fait piquer par un moustique qui a, au préalable, piqué un chien infesté. Il transmettra ainsi les microfilaires (forme immature du ver qui circule dans les vaisseaux sanguins). Inutile de dire que la transmission se produit seulement durant la saison des moustiques. Une fois l'animal infesté, il peut s'écouler jusqu'à un an avant l'apparition des symptômes. En fait, la maladie peut avoir atteint un stade très avancé au moment où elle commence à se manifester.

Heureusement, il existe maintenant plusieurs techniques efficaces pour diagnostiquer une infestation par les vers du coeur. Une fois l'existence d'une infestation bien établie, un traitement visant à éliminer les vers adultes et les microfilaires sera mis sur pied. Une thérapie préventive efficace permet de réduire considérablement le coût et les soucis reliés au traitement de l'infestation par les vers du coeur.

Les parasites internes

Il existe plusieurs sortes de vers intestinaux qui peuvent parasiter votre Afghan.

Les ascaris

Les ascaris (vers ronds) sont les plus fréquents. Ils sont blancs, ronds et effilés aux deux extrémités; leur longueur varie de 2,5 à 12 cm. La majorité des chiots sont infestés par ces parasites. Si votre Afghan en est porteur, il pourra présenter des symptômes tels que l'amaigrissement et aura le ventre gonflé. Il sera sujet à la diarrhée ou aux vomissements. On pourra même trouver des vers ronds dans les vomissures ou les selles. Chez les chiens plus âgés, les symptômes sont plus discrets, et seule une analyse microscopique des selles, effectuée par votre vétérinaire, confirmera le diagnostic. En effet, le vétérinaire recherchera les oeufs des vers, signes certains de la présence de vers adultes dans l'intestin de votre Afghan.

Les chiots sont traités de façon systématique. Les vermifuges d'usage courant sont habituellement efficaces contre les ascaris.

Les trichuris

Les trichuris (vers à fouet) autres parasites des intestins, mesurent de 4 à 6 cm de longueur et vivent dans le gros intestin. Une infestation massive entraînera des symptômes semblables à ceux que l'on rencontre lors d'une infestation par les ascaris.

Les vers à crochet

Les vers à crochet, troisièmes parasites internes, se fixent à la paroi intestinale et se nourrissent de sang. Leur présence, en grand nombre, peut entraîner une anémie sérieuse.

Le ténia

Le ténia (ver plat) appartient à la famille du ver solitaire de l'homme. Il existe plusieurs types de ténias. La sorte varie selon l'«hôte intermédiaire»; par exemple, citons celui qui est transmis par les puces et celui qui est transmis par les rongeurs. En général, il causera peu de symptômes (amaigrissement peu marqué et diarrhée occasionnelle). On peut retrouver des segments de ténia séché autour de l'anus. Ces segments ont alors l'apparence de grains de riz.

Si vous décelez la présence de ces petits segments, consultez votre vétérinaire qui saura prescrire le médicament adéquat.

Si vous avez décidé de nourrir votre chien avec de la viande crue, assurez-vous de sa provenance car le ténia échinocoque vivant dans les viscères de porcs et de bovins peut contaminer l'homme. Quant au ténia margine, qui passe de l'état d'oeuf à celui de larve dans l'estomac de certains porcs et moutons, il peut présenter un sérieux danger pour votre compagnon.

Méfiez-vous également des cervelles de boeufs et de moutons ainsi que des viscères de lapins et de lièvres.

En plus de ces différents vers intestinaux, d'autres sources d'infection, telles la coccidiose et la giardiose, peuvent occasionner des désordres intestinaux. Étant donné que les traitements sont différents pour chacun des parasites ou agents d'infection énumérés ci-haut, il est important d'identifier l'agent en cause avant d'entreprendre un traitement. Seule une analyse des selles, comme nous l'avons signalé, permet au vétérinaire de déceler non pas les vers eux-mêmes, mais les oeufs. Cet examen permet d'identifier les vers présents chez votre Afghan, rendant ainsi possible le traitement à l'aide du médicament approprié.

Les maladies infectieuses du chien

Votre Afghan est susceptible de contracter certaines maladies infectieuses. Parmi celles-ci, citons: la maladie de Carré (*distemper*), l'hépatite infectieuse, la parvovirose, la toux de chenil, la rage et la piroplasmose. Ces maladies peuvent être graves et souvent mortelles. Heureusement, l'avancement de la science a permis la mise au point de vaccins efficaces.

La maladie de Carré (*distemper*)

Cette maladie est sans doute la plus connue et, à juste titre, la plus redoutée des propriétaires de chiens. La maladie de Carré est très contagieuse. Elle frappe surtout les chiots provenant d'endroits où les chiens sont gardés en grand nombre, ce qui augmente le risque de contagion. L'éventuel acheteur doit absolument se méfier de certains chenils ou animaleries.

La maladie de Carré est causée par un virus qui s'attaque à plusieurs systèmes incluant le système nerveux. Les symptômes sont nombreux: perte d'appétit, écoulement purulent du nez et des yeux, toux, vomissements et diarrhée. Si certains chiots survivent à la «phase digestive et respiratoire», la majorité mourront une fois que le virus aura atteint le système nerveux, et entraîné de l'incoordination, des tremblements et une paralysie progressive. Les chiens adultes sont un peu plus résistants à l'infection, et un certain pourcentage de ceux-ci survivront. Par contre, la majorité des chiots succomberont. Il ne faut toutefois pas s'affoler immédiatement. La maladie de Carré est relativement fréquente, mais les gastro-entérites et les bronchites le sont bien davantage, et ces dernières sont généralement traitées avec succès. La seule façon sûre de prévenir la maladie de Carré est la vaccination. Celle-ci a fait ses preuves depuis plusieurs années, et les nombreuses mortalités encore causées par ce virus ne sont dues qu'à un manque de prévention.

L'hépatite infectieuse

L'éradication presque complète de cette maladie a été rendue possible grâce à des programmes de vaccination efficaces. Cette maladie, causée par un virus, se rapproche beaucoup de la maladie de Carré tant par sa gravité que par ses symptômes. Par contre, elle ne cause pas de paralysie et n'est pas toujours fatale. La seule façon de l'éviter est encore la vaccination. De plus, ce vaccin est habituellement combiné à celui de la maladie de Carré.

La parvovirose

Cette grave maladie, apparue seulement depuis quelques années, est également causée par un virus. Celui-ci provoque une gastro-entérite sévère et souvent fatale, surtout chez les jeunes sujets.

Les symptômes sont alarmants: fièvre, perte d'appétit, vomissements, forte diarrhée et déshydratation subséquente. En cas de symptômes gastro-intestinaux douteux, présentez-vous chez votre vétérinaire sans tarder. Des traitements de soutien pourront peut-être sauver la vie de votre Afghan. Heureusement, il existe depuis quelques années un vaccin très efficace pour prévenir ce fléau.

La rage

Cette terrible maladie était, jusqu'à la découverte du sérum antirabique par Pasteur, le cauchemar de tous les propriétaires d'animaux. Cette maladie, bien qu'elle ne soit pas totalement enrayée, est maintenant contrôlée, et il est désormais possible d'immuniser votre chien. Néanmoins, il est absolument nécessaire que vous en connaissiez les symptômes pour le cas où elle se manifesterait.

La rage est une maladie virale très contagieuse qui peut frapper tout animal à sang chaud, l'homme y compris. Le virus, transmis par la salive d'un animal enragé, s'attaque au système nerveux des victimes, entraînant des changements de comportement, comme par exemple l'agressivité, suivis de paralysie et de mort.

Un des premiers symptômes de la rage est le besoin de solitude de votre chien. Il ne sera pourtant pas déterminant puisque ce besoin est aussi le symptôme d'autres maladies. L'inverse peut d'ailleurs se produire: votre chien peut devenir soudainement joyeux. Il faut distinguer la rage furieuse de la rage muette. S'il a la *rage furieuse*, le chien aboie et mord; furieux et menaçant, il voudra mordre les personnes et les objets qui l'entourent, au risque de se briser les dents. S'il a la *rage muette*, il restera calme, sans aboyer, mais avec la gueule ouverte; il deviendra insensible à la douleur. Dans les deux cas, il s'éloignera instinctivement de la maison, et vous ne le reverrez pas avant deux ou trois jours. Pendant ce temps, il errera et avalera n'importe quoi, et du sang sera mêlé à ses selles. Il cherchera à boire, tourmenté par la soif. Il ne reviendra dans la maison de son maître que pour y mourir. Ses paupières s'abaisseront et il aura le regard vitreux et fuyant. Il tentera de se gratter la gorge comme s'il avait avalé quelque chose. La paralysie commencera par frapper les membres postérieurs puis s'étendra à tout le corps.

La seule façon de contracter la rage tant pour votre Afghan que pour vous, c'est d'être mordu par un animal enragé ou d'entrer en contact direct avec sa salive. Le virus peut pénétrer par une plaie, même des plus minuscules. Les animaux le plus souvent porteurs de rage sont les renards et les mouffettes.

Ne confondez pas la rage avec une crise d'épilepsie. Pendant une telle crise, le chien aura également des convulsions et de l'écume aux lèvres, mais cela ne durera que quelques minutes et n'aura rien à voir avec la rage. Le vétérinaire, après un examen scrupuleux, pourra déterminer, en deux jours, si votre chien est atteint ou non de la rage.

Si vous soupçonnez que votre animal est enragé, la meilleure chose à faire reste de consulter rapidement votre vétérinaire qui établira la ligne de conduite appropriée. Il ne faut surtout pas tuer le chien en question, particulièrement s'il a déjà mordu quelqu'un.

Pour diagnostiquer la rage, votre vétérinaire mettra votre compagnon en quarantaine ou pratiquera des examens spécialisés du cerveau lors de l'autopsie, si l'animal est mort naturellement ou à la suite d'une euthanasie.

On peut prévenir le développement de la maladie chez l'humain grâce à une série d'injections administrées le plus rapidement possible après une morsure. Si les signes cliniques sont déjà présents, la maladie est mortelle. Si vous êtes mordu par un animal sauvage ou errant, à l'allure bizarre, lavez et désinfectez la plaie immédiatement et ne tardez pas à consulter votre médecin. Néanmoins, ne confondez pas un chaton un peu fou ou un peu trop enjoué, ou encore un chien de nature agressive, avec un animal enragé. La meilleure thérapie contre la rage demeure la prévention à partir d'un programme de vaccination adéquat.

La piroplasmose (fièvre des tiques)

Le *piroplasma cani* est le parasite responsable de la piroplasmose. Cette maladie semble inexistante en Amérique du Nord, mais elle fait des ravages en Europe.

Il s'agit d'une maladie du sang qui est contagieuse. Si vous vous y prenez suffisamment tôt, vous en viendrez facilement à bout. Mais si elle n'est pas rapidement soignée, votre Afghan peut en mourir.

La tristesse et la fatigue sont les premiers symptômes de la piroplasmose. Votre chien perdra ensuite l'appétit, et sa température montera à 40-41 °C (104-105,8 °F). Il vous sera facile de retrouver sur le corps de votre chien malade des tiques vivantes et remplies du sang de leur victime, ce qui confirmera vos craintes et précisera le diagnostic. Comme nous vous le disions plus haut, c'est le parasite *piroplasma cani* (ou piroplasme) qui est à l'origine de cette maladie transmise par les tiques. Ce parasite fera éclater les globules rouges, et l'urine deviendra rouge foncé.

La guérison dépendra de la rapidité de votre intervention à partir du moment où vous aurez décelé les premiers symptômes de la maladie. La convalescence sera longue et, durant cette période, votre chien pourra avoir des troubles néphrétiques ou hépatiques. Laissez-le se reposer pendant deux ou trois semaines: pendant la maladie, la rate s'hypertrophie et il y a danger d'éclatement si votre Afghan s'agite trop ou fait des exercices trop violents.

Il n'existait pas, jusqu'à ces derniers temps, de vaccination préventive. Une firme pharmaceutique française, l'institut Mérieux, vient de mettre au point le premier vaccin contre cette maladie. Ce vaccin est déjà commercialisé en France. Il devra permettre, en un premier temps, de protéger les trois cent mille à quatre cent mille chiens qui, chaque année, en France, souffrent de cette maladie, mortelle dans un cas sur vingt.

Seuls, en cas de maladie déclarée, des traitements d'urgence effectués par votre vétérinaire pourront sauver votre animal de la jaunisse et souvent de la mort. On peut aussi prévenir cette maladie, dans les régions où on la retrouve, en détruisant immédiatement les tiques au moyen d'un insecticide efficace.

Les affections des yeux

Il est bon de rappeler quelles sont les parties externes de l'oeil. La cornée est l'enveloppe transparente centrale qui recouvre la pupille et l'iris; la sclérotique est la partie blanche de l'oeil; la conjonctive est la membrane transparente qui recouvre la sclérotique et tapisse les paupières.

Les affections des yeux sont nombreuses. Citons la blépharite (inflammation des paupières), la kératite (inflammation de la cornée), la conjonctivite (inflammation de la conjonctive), la cataracte (opacification du cristallin, lentille normalement transparente à l'intérieur de l'oeil).

Les causes des affections oculaires sont multiples: infection bactérienne ou virale, trauma, corps étranger, cancer, maladie métabolique (exemple: cataracte diabétique) ou d'origine héréditaire (exemples: malformation des paupières, glaucome, atrophie de la rétine, cataracte), etc.

Les yeux de votre Afghan sont précieux, il faut donc éviter de vous improviser «ophtalmologiste» et soigner «à l'aveuglette» le problème oculaire de votre Afghan. Il est important de consulter votre vétérinaire dans les plus brefs délais si vous croyez que votre chien souffre d'un problème oculaire. Il pourra ainsi émettre un diagnostic précis et prescrire les médicaments appropriés de façon à prévenir des complications désastreuses.

La conjonctivite

Il s'agit de l'inflammation de la conjonctive, qui devient rouge et gonflée. L'inflammation pourra être aiguë, chronique, catarrhale ou purulente. Pour traiter la conjonctivite, lavez l'oeil atteint avec une solution boriquée en enlevant, si nécessaire, le pus à l'aide d'un tampon de gaze trempé dans de l'eau bouillie et tiède. Enlevez éventuellement, avec une pincette, les cils qui auront pu pénétrer dans l'oeil. Si des poils gênent, coupez-les avec des ciseaux. Appliquez du collyre antibiotique toutes les deux heures, et une pommade à base de sulfamides et d'antibiotiques pendant deux ou trois nuits de suite. Espacez la médication au fur et à mesure que l'Afghan guérit. Gardez l'animal à l'abri de la lumière, au repos et dans un endroit où il ne sera pas dérangé. En l'éloignant des sources de lumière, vous éviterez une récidive de l'inflammation.

L'entropion

Cette maladie se caractérise par le renversement de la paupière vers l'intérieur, contre la conjonctive. Les cils irriteront la conjonctive et provoqueront l'apparition d'une conjonctivite ou d'une kératite. La cornée sera ulcérée. Dans la plupart des cas, l'entropion est congénital. Adressez-vous au vétérinaire: il soulagera votre compagnon en pratiquant une intervention chirurgicale.

La kératite

Il s'agit de l'inflammation de la cornée. Elle se traduit par une opacité partielle ou totale de la cornée. Lavez l'oeil très soigneusement avec une solution boriquée. Appliquez localement une pommade ophtalmique à l'oxyde jaune de mercure ainsi qu'une pommade antibiotique, comme vous le conseillera votre vétérinaire.

La blépharite

Il s'agit de l'inflammation des paupières provoquée le plus souvent par un facteur externe et traumatisant comme, par exemple, une piqûre d'épine ou d'insecte, ou une blessure. Nettoyez bien l'oeil avec une solution boriquée à 3 p. 100. Appliquez ensuite des compresses ni trop chaudes ni trop froides de camomille pendant environ un quart d'heure. Pour terminer, appliquez une pommade antiseptique sédative, à usage ophtalmique, selon l'usage commun.

Le glaucome

Cette maladie se caractérise par la dilatation de la pupille, l'opacité de la cornée et le durcissement du globe. Pour guérir votre Afghan, vous devrez le faire hospitaliser. La guérison est, avouons-le, fort aléatoire.

La dégénérescence du pigment de la cornée

Il n'y a aucun traitement pour cette maladie. Il s'agit de l'infiltration d'un pigment brun et noir qui peut recouvrir une partie ou toute la surface de la cornée, comme si une membrane faisait le tour du globe oculaire.

L'ulcère chronique

L'ulcère chronique se manifeste sans infection ni suppuration interne. Soignez le chien avec des gouttes et une pommade à base d'antibiotiques et de cortisone, avec l'accord de votre vétérinaire, bien sûr. Mettez les gouttes le matin, et la pommade le soir.

Il est très important de ne pas employer les gouttes et la pommade à base d'antibiotiques si l'ulcère est infecté. Vous ne feriez qu'aggraver l'infection en empêchant les mécanismes naturels de défense du chien d'agir.

L'ulcère de la cornée

L'ulcère de la cornée est la maladie de l'oeil la plus grave. Elle se caractérise par l'opacité de la cornée et la rugosité de sa surface. Vous décèlerez ces symptômes en regardant l'oeil du chien obliquement sous une lumière assez forte. Vous verrez une auréole grise autour de l'ulcère. Cette auréole peut s'étendre à toute la cornée et à l'iris de l'oeil.

Pour les *petits ulcères* d'environ 1 mm de long, administrez à votre chien des gouttes antibiotiques toutes les trois heures et frottez l'ulcère avec une pommade à base d'antibiotiques trois fois par jour. Avant de commencer le traitement, ayez l'assentiment du vétérinaire.

Les *grands ulcères* sont accompagnés d'un rétrécissement de la pupille. Administrez au chien quelques gouttes d'atropine une fois par jour, mais seulement après que votre vétérinaire vous en aura prescrit la dose exacte. Ce médicament devra être employé avec prudence afin que votre Afghan n'en avale pas; ces gouttes sont très toxiques. Administrez-lui également des gouttes antibiotiques, après consultation du vétérinaire, toutes les deux heures, et appliquez sur l'ulcère une pommade antibiotique le soir avant que votre chien n'aille dormir.

Les ulcères très graves peuvent couvrir un tiers, et même plus, de la cornée tout en provoquant un rétrécissement de la pupille et une suppuration. Vous devrez administrer des gouttes d'atropine trois fois par jour et appliquer des compresses d'eau froide distillée mélangée à quelques gouttes antibiotiques, pendant environ quinze minutes toutes les deux heures et demie. Vous administrerez, en même temps, des gouttes antibiotiques toutes les heures et demie. S'il n'y a pas d'amélioration, adressez-vous à votre vétérinaire qui prendra votre chien en charge et agira au mieux pour le remettre sur patte au plus tôt.

La cataracte

Cette maladie affecte principalement les chiens âgés. Elle peut également se manifester à la suite d'un traumatisme violent dû à une intoxication ou à d'autres maladies, comme le diabète. Les symptômes de la cataracte sont facilement repérables: la pupille, normalement noire, devient blanche ou grise. Le traitement ne permettra pas, en général, de guérir votre Afghan; il ne pourra qu'enrayer l'évolution de la lésion. On fait actuellement des essais pour adapter aux chiens les techniques employées pour les humains: mais, même si l'opération réussit, on peut se heurter à des problèmes postopératoires et à l'impossibilité de remédier à l'absence de cristallin par des lentilles.

Les maladies de l'oreille

Il est conseillé de peigner soigneusement les oreilles du chien qui peuvent retenir toutes sortes de parasites. Prenez également le temps de vous occuper du pavillon du conduit auditif. Servez-vous de cure-oreilles et d'un produit antiparasitaire, anti-inflammatoire et antibiotique disponible sur le marché.

L'otite externe

Il s'agit de l'inflammation du conduit auditif causée par le cérumen, par la saleté ou par l'introduction d'un corps étranger.

L'otite interne

L'otite interne est plutôt rare, et il vous sera difficile de la distinguer de l'otite moyenne. Les principaux symptômes sont la fièvre, des troubles d'équilibre, une certaine surdité, une grande nervosité et des vertiges.

L'otite moyenne

L'otite moyenne est l'inflammation de la caisse du tympan provoquée par la présence d'un corps étranger ou par des lésions traumatiques. L'otite moyenne apparaît souvent comme une complication d'une otite externe.

L'otite parasitaire

Comme la gale, cette maladie est provoquée par la présence d'un parasite du même genre que l'acarien. Ce parasite, le *symbiotes auriculare*, se fige dans le conduit auditif. Il sera nécessaire de faire un examen microscopique pour être certain du diagnostic. Un Afghan atteint d'une otite parasitaire se gratte énergiquement, secoue la tête et est parfois sujet à de véritables crises nerveuses.

Traitement général des diverses otites

Assurez-vous de manière préventive de la propreté du conduit auditif. Quand une otite moyenne se déclare et qu'elle est purulente, faites des instillations (goutte à goutte) d'antibiotiques et de sédatifs. Quand il s'agit d'une otite parasitaire, nettoyez d'abord l'oreille, et soignez-la ensuite avec les médicaments prescrits pour la gale. Il peut être bénéfique d'ajouter au traitement local un traitement général à base de sulfamides. Vous n'administrerez les médicaments qu'après l'accord du vétérinaire.

L'ulcère du pavillon

L'ulcère du pavillon se manifeste par de petites plaies sur le bord extérieur de l'oreille. Soignez votre chien avec des poudres cicatrisantes et avec des solutions désinfectantes. Bandez-lui l'oreille afin qu'il ne fasse pas d'hémorragie.

Diverses maladies

L'épilepsie

Les causes de l'épilepsie sont multiples. La forme la plus commune est *héréditaire*. Les crises d'épilepsie débutent habituellement chez le «jeune adulte» et augmentent en fréquence avec les années. Dans la forme héréditaire, les crises sont associées au mauvais fonctionnement d'une région précise du cerveau, sans pour cela être liées à une lésion spécifique.

Votre vétérinaire prescrira un anticonvulsant (le phénobarbital) pour prévenir les attaques.

Dans la forme héréditaire, malheureusement, la guérison n'est pas possible et votre Afghan devra recevoir de l'anticonvulsant pour le reste de ses jours.

Les attaques d'épilepsie sont imprévisibles: elles peuvent être fréquentes ou être espacées par de longs intervalles. Elles peuvent être causées par une peur soudaine ou par une excitation trop forte.

Le type de crises épileptiformes le plus commun est le type «grand mal». Le chien tombe sur le sol en agitant convulsivement les pattes («pédalage»), son cou se replie vers l'arrière, il bave abondamment, roule des yeux, et sa gueule est pleine de bave; ses pupilles se dilatent et deviennent totalement insensibles à la lumière. Ceci ne dure qu'une ou deux minutes, même si cela semble parfois interminable! Lors d'une crise, n'essayez surtout pas de lui tirer sur la langue; contrairement aux humains, les chiens ne l'«avalent» pas, et vous risqueriez de vous faire mordre. En effet, lors de la crise, votre chien est inconscient de ses gestes et peut vous mordre si vous mettez votre main dans sa gueule.

Ne confondez pas cette forme d'épilepsie avec l'*épilepsie réflexe*, provoquée par des vers intestinaux ou par la constipation. Cette forme d'épilepsie n'est pas dangereuse et disparaîtra avec sa cause. Votre vétérinaire vous aidera à les distinguer.

Les autres causes de crises d'épilepsie sont moins fréquentes citons les traumas, les infections (encéphalites), les empoisonnements, le cancer, etc.

Le traitement et le pronostic varient selon la cause.

La gastro-entérite

Cette affection cumule une inflammation de l'estomac (gastrite) et de l'intestin (entérite). Les causes sont diverses; citons les parasites intestinaux, les infections, les changements d'alimentation, la nourriture avariée, les empoisonnements, etc. La gastro-entérite se manifeste par des vomissements et/ou de la diarrhée. En pareil cas, il faut mettre l'animal à jeun pendant vingt-quatre heures et lui donner des glaçons ou de l'eau fraîche en petites quantités. Par la suite, il faut le nourrir fréquemment, mais par petites portions, avec des aliments faciles à digérer comme du boeuf haché et du riz bouilli et ce, pendant quelques jours. Par contre, si le problème persiste ou s'il semble très sérieux, n'hésitez pas à consulter votre vétérinaire.

La bronchite

La bonchite peut s'attraper par temps humide ou froid. Elle peut aussi être la complication d'un rhume. Vous remarquerez un échauffement de la truffe, une respiration difficile, une toux sèche et des yeux rouges et larmoyants.

Vous laisserez votre compagnon au repos dans un lieu à l'abri des changements de température et des courants d'air, tout en lui donnant des sirops balsamiques et antibiotiques après avoir pris conseil de votre vétérinaire. Diminuez ses rations de nourriture. Au cours de sa convalescence, donnez-lui des aliments vitaminés et des fortifiants pour qu'il puisse rapidement se remettre sur patte et jouir de la vie.

La dysenterie

Si vous remarquez qu'une diarrhée s'aggrave par des décharges liquides abondantes et des vomissements, il s'agit sûrement de dysenterie. Commencez par faire jeûner votre chien pendant vingt-quatre heures. Adressez-vous au vétérinaire afin qu'il lui prescrive un régime destiné à le débarrasser de cette maladie.

L'obésité

L'obésité, on le sait, est un excédent de poids par rapport à la normale. L'Afghan, selon son tempérament, peut en être menacé ou non. Étant un petit mangeur, il est rarement affecté par l'obésité. S'il court et bouge continuellement, il ne sera pas obèse; par contre, s'il est d'une nature nonchalante et même paresseuse, il aura toutes les chances de le devenir si vous ne prenez pas certaines précautions. Une vie sédentaire et une nourriture trop abondante, surtout pour le chien âgé, favorisent l'obésité. Si votre chien a tendance à grossir, diminuez sa ration d'aliments; évitez surtout de lui donner du pain, des pâtes, tout ce qui est sucré et évidemment des aliments gras. Faites-le jeûner une fois par semaine. Ces mesures, combinées à des promenades et à des exercices quotidiens, lui permettront de retrouver une ligne digne de sa race.

Les rhumatismes

On connaît mal les raisons des affections rhumatismales qui touchent les articulations et les muscles. Plusieurs théories sont avancées: elles pourraient être propagées par un virus; elles pourraient également découler d'allergies ou d'uricémie. L'Afghan n'est pas fragile des articulations, mais vous devrez néanmoins le surveiller attentivement.

Étant donné que ce sont surtout les chiens adultes qui en sont atteints, on suppose que le mal est lié à l'âge ou au manque d'exercice. Les rhumatismes affectent surtout les muscles, le dos, les reins et le cou. Le traitement est simple: appliquez des doses de salicylate de sodium sur les endroits douloureux et faites avaler au chien de petites doses d'aspirine. Gardez-le au chaud.

La tuberculose

Cette maladie peut toucher autant l'homme que le chien. Le chien pourra, s'il mange les restes du repas de l'homme, être contaminé. Vous lui aurez certainement appris au cours du dressage à ne pas accepter de nourriture d'un étranger et à ne pas se nourrir de déchets dont il ne connaît pas la provenance.

La tuberculose est une maladie qui dure longtemps et qui devient souvent chronique. L'Afghan maigrira au fur et à mesure de la progression de la maladie: il perdra complètement l'appétit. Vous remarquerez une diminution considérable ou même la disparition de sa volonté. Sa température sera un peu plus élevée que la normale. En général, vous ne vous adresserez au vétérinaire que lorsque les symptômes deviendront plus graves: une respiration saccadée et plus rapide, des muqueuses très pâles, un amaigrissement et de la fatigue.

Il existe deux formes de tuberculose. La *tuberculose pulmonaire* se caractérise par la toux, par un écoulement nasal de pus et par une pleurésie accompagnée de fortes sueurs. La *tuberculose abdominale* se caractérise par un grossissement de la région abdominale, par de la diarrhée, par un épanchement de liquide aqueux dans les parois intérieures de l'abdomen et par un manque d'appétit.

Au début de la maladie, la température est d'environ 39,5 °C (103,1 °F); ensuite elle atteint parfois plus de 40°C (104 °F). La tuberculose est difficilement détectable et peut aisément être confondue avec d'autres maladies du système respiratoire ou du système gastro-intestinal. Les indices les plus sûrs pour savoir si votre Afghan est atteint de tuberculose seront sa maigreur inhabituelle, l'apparition de cavités sur son crâne et la réduction de ses muscles.

Afin d'être certain que votre chien est atteint de tuberculose, demandez à votre vétérinaire d'effectuer un examen microscopique pour identifier le bacille de Koch. Ce bacille peut être repéré dans les sécrétions nasales et dans le liquide péritonal. La guérison n'est jamais garantie; le traitement est long et difficile. Peut-être devrez-vous abréger les souffrances de votre compagnon.

La constipation

Une alimentation mal équilibrée et le manque d'exercice peuvent constiper votre chien. Faites-lui prendre de l'huile de vaseline ou de l'huile d'olive, mais n'administrez pas de purge ou de laxatifs qui ne feraient qu'aggraver le mal en irritant la muqueuse intestinale.

Le tétanos

Cette maladie est due au développement dans une plaie du bacille de Nicolaier. Le tétanos est plutôt rare chez les chiens, mais vous devrez vous méfier des plaies souillées de fumier, de terre ou d'autres éléments de ce genre. Dans ce cas, faites faire une injection de sérum antitétanique. Vous pouvez d'ailleurs, pour être tout à fait rassuré, le faire vacciner par votre vétérinaire avec l'anatoxine antitétanique découverte par le bactériologiste Ramon.

Le diabète

Il y a deux sortes de diabète: le *diabète mélitus* et le *diabète insipide*. Le diabète mélitus provient d'une grande perturbation du métabolisme du chien: en effet son pancréas ralentit ou cesse complètement d'élaborer de l'insuline; au lieu de nourrir les tissus, le sucre est alors éliminé dans les urines. Votre chien pourra continuer à avoir de l'appétit mais s'affaiblira au fur et à mesure que la maladie évoluera. Il aura de plus en plus faim et soif. La quantité d'urine éliminée augmentera sensiblement.

La peau deviendra sensible aux infections et aux lésions qui se cicatriseront plus lentement.

Votre vétérinaire prescrira des piqûres quotidiennes d'insuline à dose variable selon la taille et le poids de l'animal. Évitez de lui donner des farineux et des aliments sucrés quels qu'ils soient. Si vous ne traitez pas le diabète, votre chien entrera dans le coma diabétique qui précède la mort.

Le diabète insipide provient de lésions des centres nerveux ou des suites d'une autre maladie qui aura affaibli le chien. Son urine sera abondante et claire. Il maigrira progressivement et il n'arrivera jamais à étancher sa soif. Il s'affaiblira et connaîtra de longues périodes de somnolence. Votre vétérinaire lui prescrira des toniques et de petites doses de stéroïdes. Armez-vous de beaucoup de patience, le traitement sera long.

La nervosité excessive

Si votre chien ne dort plus, aboie continuellement et devient agressif tout en ayant l'air en bonne santé, vous devrez le faire soigner pour des troubles d'ordre psychologique. Ces perturbations peuvent survenir lors d'un voyage, d'un déménagement ou lors de l'achat de votre Afghan. Administrez-lui un sédatif. Si ces troubles dégénèrent en convulsions ou en crises nerveuses graves, adressez-vous sans tarder au vétérinaire.

Les soins préventifs

Les soins préventifs consistent à recourir aux connaissances scientifiques et aux outils médicaux actuels pour prévenir la maladie. Ces soins peuvent améliorer la qualité de vie de votre Afghan et lui permettre de vivre plus longtemps. Il est tellement plus facile de prévenir que de guérir, ce qui, en plus d'être moins coûteux, évite des souffrances inutiles à votre Afghan.

La vaccination

Un des aspects importants des soins préventifs, c'est la vaccination. Celle-ci permet de prévenir plusieurs maladies infectieuses graves, voire mortelles, que votre Afghan pourrait contracter.

Parmi celles-ci, citons: la maladie de Carré (*distemper*), l'hépatite infectieuse, la parvovirose, la leptospirose, la toux de chenil et la rage. Dans toutes les situations, votre Afghan devrait être vacciné contre le *distemper*, l'hépatite infectieuse et la parvovirose. Ces vaccins sont d'ailleurs habituellement combinés pour que l'administration en soit facilitée. Votre vétérinaire évaluera l'importance de faire vacciner votre Afghan contre la toux de chenil ou la rage, selon l'incidence du risque dans votre région ou encore selon l'environnement de votre Afghan.

Le vaccin apprend à l'organisme à se défendre contre un microbe. On administre ce microorganisme «atténué» ou «tué» en petites doses à votre Afghan, de façon qu'il développe une «immunité» sans toutefois développer la maladie. Si les vaccins apprennent à l'organisme à se défendre, il faut se souvenir que ce dernier a la mémoire relativement courte et qu'il aura besoin qu'on la lui rafraîchisse de temps en temps, d'où la nécessité des vaccins de rappel qui vont maintenir l'efficacité du système de défense de votre Afghan.

Les parasites

Comme nous l'avons vu auparavant, votre Afghan est menacé d'être l'hôte d'une multitude de parasites internes et externés tels les ascaris, les vers plats, les puces, les tiques, les mites d'oreilles, etc. Des insecticides et des vermifuges appropriés ainsi qu'un environnement propre amélioreront la qualité de vie de votre Afghan.

En ce qui concerne les vers intestinaux, vous devez apporter un échantillon de selles à votre vétérinaire qui en fera un examen microscopique. Ceci permettra d'identifier les oeufs pondus par ces parasites pour ensuite en identifier la cause. De cette façon, votre vétérinaire prescrira un vermifuge spécifique contre le ou les parasites présents.

En ce qui a trait aux parasites externes, les puces sont de loin le problème le plus fréquent et certainement le plus difficile à régler. On dit que pour chaque puce vue sur votre Afghan, il y en a cent dans son environnement. Dès lors, il est aussi important de «traiter» l'environnement que l'animal. Votre vétérinaire saura vous conseiller sur la façon de procéder et sur les produits à utiliser.

Un régime équilibré

Votre Afghan devrait recevoir une alimentation équilibrée et en quantités adéquates pour avoir une meilleure défense contre les infections et pour éviter l'embonpoint. Les besoins nutritifs du chien varient beaucoup selon ses activités et son âge. En effet, un chien en croissance ou une chienne allaitant ses petits requièrent beaucoup plus d'énergie, donc de protéines et de minéraux, qu'un vieux «cabot» paresseux.

Les maladies de la femelle

La grossesse nerveuse

L'Afghan femelle pourra se comporter, comme toute chienne d'une autre race, comme si elle était enceinte, sans avoir eu de rapports avec un mâle. Elle oubliera de se nourrir, elle gémira et se mettra à préparer une couche pour les soi-disant nouveau-nés. Même ses mamelles pourront gonfler. La grossesse nerveuse est tout de même peu courante. Mais, si c'est le cas, adressez-vous au vétérinaire qui décidera, avec vous, s'il y a lieu de pratiquer l'ablation des ovaires et de l'utérus.

Les kystes ovariens

Les kystes ovariens sont plutôt rares chez la chienne parce que les follicules restent liquides. Si néanmoins elle en est atteinte, votre chienne sera en chaleur de façon permanente et elle ne pourra probablement pas procréer. Le vétérinaire devra pratiquer l'ablation des ovaires et de l'utérus pour la guérir.

L'éclampsie

Quand la chienne est prête à mettre bas, et encore plus souvent après la naissance de ses chiots, elle peut avoir une crise semblable à une crise d'épilepsie. Elle se balance d'abord puis tombe sur le côté; ses pattes deviennent raides et elle les lance dans le vide; elle commence à baver.

Tous ces symptômes peuvent disparaître comme ils sont venus, mais, comme il n'est pas possible de prévoir une récidive, il vous faudra appeler votre vétérinaire qui prescrira un calmant ou des sels de calcium sous forme d'injections. Il décidera également s'il est bon de continuer l'allaitement des chiots; le surplus de calcium pourrait leur être néfaste.

La mammite

La mammite, ou mastite, est l'inflammation d'une ou de plusieurs mamelles. Cette inflammation est causée par un coup, une infection bactérienne ou une congestion; elle provoque la lésion du téton. Ce sont souvent ses petits qui en sont responsables, surtout si la mère n'a pas suffisamment de lait. La chienne s'éloigne alors des chiots puisque, chaque fois qu'ils tètent, elle sent une douleur provenant du tiraillement des mamelles. Le vétérinaire soignera votre chienne avec des médicaments à base d'antibiotiques.

La vaginite

Au cours d'une saillie, le pénis du mâle peut causer des lésions au vagin. La vaginite peut également survenir après la mise bas. Vous remarquerez, si votre chienne souffre de cette inflammation, qu'elle devient nerveuse et qu'elle perd du sang par la vulve. Le vétérinaire fera suivre à votre chienne un traitement antibiotique adéquat.

La métrite

La métrite est l'inflammation de l'utérus. Elle est due à des infections provenant d'une retenue des enveloppes foetales. Elle peut également survenir lors d'une mise bas. Vous remarquerez une sécrétion liquide malodorante et sanguinolente. La femelle perdra l'appétit, elle s'affaiblira physiquement et perdra du lait; sa température montera parfois jusqu'à plus de 40 °C (104 °F). Consultez aussitôt le vétérinaire: il prescrira les médicaments appropriés ainsi que des antibiotiques qui feront baisser la fièvre.

La propreté de sa couche ainsi que celle de ses parties génitales, lorsque la chienne met bas, sont les meilleures mesures de prévention contre cette maladie.

La vulvite

Les causes de la vulvite sont les mêmes que celles de la vaginite. La partie externe du vagin, la vulve, s'enflamme. L'application d'une pommade à base d'antibiotiques devrait suffire.

Les maladies du mâle

L'altération du pénis

Deux cas peuvent se présenter: l'inflammation de l'extrémité du pénis provoquée par un traumatisme; la fracture de l'os pénien au cours d'un accouplement ou lors d'un choc contre un obstacle. Le vétérinaire, qui devra être immédiatement consulté, administrera au chien des antibiotiques dans le cas de l'inflammation, et aura recours à une intervention chirurgicale s'il y a fracture.

L'orchite

L'orchite est l'inflammation d'un ou des deux testicules de votre Afghan. Elle est presque toujours due à un coup reçu dans les parties génitales. Quelquefois, la présence de microbes peut déclencher l'orchite.

Pour soulager votre chien, appliquez des compresses chaudes et humides imprégnées de sulfate de soude. Consultez votre vétérinaire s'il y a infection: il prescrira les antibiotiques appropriés.

La stérilisation

On peut considérer la stérilisation comme une prévention à toutes sortes de problèmes.

L'*ovario-hystérectomie* chez la chienne consiste en l'ablation des ovaires et de l'utérus. Les avantages de cette intervention sont nombreux. Finies les chaleurs, finies les fugues, finies les gestations non souhaitées, etc. De plus, on élimine les risques d'infection ou de cancer de l'utérus et des ovaires. On diminue l'incidence du cancer des glandes mammaires si cette chirurgie est faite durant le jeune âge de la chienne. Le seul désavantage possible de l'ovario-hystérectomie est la tendance à l'obésité, car votre chienne peut contracter des habitudes sédentaires. Si la quantité de nourriture que vous lui donnez est adéquate, vous préviendrez ce problème facilement.

La *castration* chez le chien consiste en l'ablation des testicules. Les avantages sont nombreux: diminution du vagabondage, de l'agressivité vis-à-vis des autres chiens mâles, des problèmes prostatiques dus au vieillissement et de l'incidence de certains types de cancers reliés à la sécrétion d'hormones mâles.

Les chiens et les chiennes stérilisés ne sont pas des animaux dénaturés pour autant. Libérés du «fardeau» de l'instinct sexuel, votre animal sera plus détendu, vagabondera moins et sera plus friand de caresses.

La bonne conduite

Le Lévier afghan a la particularité, malgré sa taille, de manger peu à la fois. Il est donc préférable de lui donner des repas peu copieux, mais assez fréquents.

Les activités

Si vous désirez avoir près de vous un chien de compagnie respirant la gaîté et pouvant, en outre, être un bon gardien, n'hésitez pas: choisissez l'Afghan. En plus, ne l'oubliez pas, ce sera un excellent ami de la famille.

Votre Afghan est robuste et peu sujet aux maladies. Son intelligence et son caractère affectueux vous raviront; il vous sera fidèle en toute circonstance.

Il assimilera rapidement les leçons de dressage et vous aurez rarement à répéter un exercice, à condition, bien entendu, que vous ne lui passiez rien; son dressage devra être très ferme: il faut qu'il sente la main du maître; soyez strict mais juste; votre Afghan ne comprendrait pas que vous le réprimandiez si ce n'est immédiatement après une désobéissance.

Dressez-le à être un bon chien de garde; il fera la joie de toute votre famille et sera un ami fidèle. Vous lui apprendrez, en plus, à rapporter des objets et à trottiner près de vous quand vous vous promenez; dans ce cas, ayez toujours une laisse avec vous, il se pourrait que vous vous engagiez dans un quartier où les chats aiment, et c'est leur droit, également se promener...

En fait, votre Afghan sera le fruit de votre dressage et, si vous avez suivi consciencieusement toutes les règles, vous n'en retirerez que des satisfactions. Mais dressez-le en fonction de sa riche nature, celle d'un chien de compagnie ou de garde ou encore de chasse capable de déterrer le gibier ou de le poursuivre; en résumé vous le dresserez en fonction de ce pour quoi il est fait.

Soyez affectueux avec votre Afghan et félicitez-le après chaque exploit. Complimentez-le, caressez-le plutôt que de lui donner une sucrerie, qu'il ne dédaignerait pas d'ailleurs. Une alimentation appropriée, de longues promenades, une sévérité raisonnable lui donneront une forme physique et mentale dont vous serez fier. Ne laissez jamais votre chien s'ennuyer, il trouverait quelque bêtise à faire pour remplir sa journée...

Le dressage

Le début du dressage

Pour atteindre son équilibre, votre Afghan a besoin d'être dressé d'une main ferme sous un gant de velours. Vous remarquerez, une fois le dressage terminé, combien votre compagnon sera fier de pouvoir accomplir ce que vous lui ordonnerez. Il apprend vite tout ce que l'on veut bien lui enseigner; il est curieux de tout et, étant toujours sur le qui-vive, il constitue un excellent chien de garde. L'affection qu'il vous porte, en plus de son intelligence, rendront le dressage facile. Ce qui ne veut pas dire qu'il ne vous faudra pas, avant d'arriver au résultat final, parcourir un long chemin.

Si vous ne vous en sentez pas la force, nous vous conseillons de vous faire aider par un dresseur professionnel, choisi avec discernement après avoir consulté votre entourage, et surtout par un conseiller canin, dont les suggestions devront être prises très au sérieux.

La première partie du dressage de l'Afghan vise à faire comprendre à l'animal les contraintes de la vie de tous les jours: pour l'Afghan particulièrement, ne pas aboyer sans nécessité ni quand on le lui défend, ne pas faire ses besoins là où cela ne lui est pas permis, savoir rester tenu en laisse, ne pas voler, répondre à son nom, marcher près de vous quand vous le lui demandez, etc.

Certains dresseurs professionnels offrent un cours spécial destiné aux jeunes chiots d'au moins deux mois et demi, afin de leur inculquer ces notions et de les préparer au vrai grand dressage. Votre conseiller canin vous indiquera ces écoles.

La deuxième partie du dressage rendra l'Afghan physiquement et moralement prêt à obéir, lui donnera un sens encore plus aigu de la propriété ou de la protection selon le but du dressage. Cette phase débute lorsque votre Afghan a environ sept mois.

L'Afghan, comme tout autre chien, a besoin d'un maître, ne l'oubliez surtout pas. Il obéira aux personnes qui savent se faire respecter de lui et lui donner des ordres clairs.

Si, lors de l'apprentissage, votre chien devient hargneux ou est simplement de mauvaise humeur, sachez que vous en êtes le seul responsable. Votre compagnon a besoin d'être dominé; prenez l'air sévère et donnez les ordres adéquats, mais restez toujours juste. L'Afghan a une très bonne mémoire et pourrait vous en vouloir longtemps à la suite d'une injustice de votre part. Un éducateur habile peut lui faire comprendre beaucoup de mots différents. Vous pourrez même arriver, grâce à son intelligence, à ce qu'il réponde à certaines de vos mimiques.

Ne compromettez pas l'avenir de votre chien et vos relations avec lui par un mauvais dressage; l'effort en vaut la peine.

Le dressage du chiot

Commencez par habituer votre chiot à satisfaire ses besoins à l'extérieur. Assignez-lui une place fixe à cet effet, un endroit qui restera le sien.

Ne grondez votre chien qu'au moment précis où il commet une bêtise, parce que, ce moment passé, il ne pourrait en aucune façon comprendre pourquoi vous le punissez. Sachez que votre Afghan, comme d'ailleurs tous les autres chiens, ne peut lier la cause à l'effet que si ces deux actes sont simultanés.

Complimentez, récompensez votre jeune chien chaque fois qu'il exécute ce que vous lui demandez. Cette méthode est excellente: votre chiot répétera les mêmes gestes pour recevoir sa récompense, et cette répétition en fera des gestes habituels.

Ne frottez jamais le museau de votre chiot sur la cause de sa bêtise; ce geste est totalement inutile, voire néfaste. Si votre chiot fait une bêtise, grondez-le immédiatement. S'il fait ses besoins là où il n'est pas autorisé à les faire, sortez-le pour lui montrer l'endroit qui lui est réservé. Votre Afghan est rarement désobéissant, et il est propre par instinct. S'il renifle le sol ou cherche à s'isoler, emmenez-le tout de suite à l'endroit réservé à ses besoins.

Éduquer votre chien est une bonne chose, mais ce n'est pas suffisant: vous aurez également à éduquer votre famille; le chiot imite tout, et il ne faudra pas lui donner de mauvais exemples.

Dresser un chien de façon approximative n'a jamais rien donné de bon. Si vous envisagez de faire dresser votre Afghan par des spécialistes, sachez qu'un bon dressage pourrait vous coûter deux ou même trois fois le prix payé pour le chien. Mais il s'agit d'un investissement rentable si vous tenez compte des services que vous rendra votre compagnon. Votre Afghan, en devenant un chien dressé à la perfection, couvrira aisément vos dépenses; de plus, vous aurez la satisfaction d'être le maître d'un chien qui aura été dressé à ce pour quoi il est fait.

Nous vous donnons le détail d'un dressage que vous pouvez effectuer vous-même. Il vous donnera des résultats satisfaisants si vous le faites avec un sérieux sens de l'éducation.

Les principes

Vous aurez à coeur de suivre avec application les différents principes que nous allons vous énumérer maintenant. Votre Afghan est assez grand, aussi il est bon de lui parler en vous mettant face à lui de telle façon qu'il puisse, sans relever la tête, observer facilement vos mimiques et l'expression de vos yeux, où il lira la détermination et la douceur!

1. Les ordres doivent être donnés de manière que le chien puisse associer le ton de votre voix à leur exécution. Le chien ne peut saisir la signification des mots prononcés, il obéira donc à l'intonation. Il est indispensable de faire comprendre à votre chien le lien entre l'ordre donné et l'exécution de l'exercice. Vous y arriverez à force de patience et surtout de répétitions; ne changez surtout pas le ton de votre voix; ayez toujours le même ton pour le même ordre. Pour un exercice comportant un seul mouvement, l'ordre doit être donné sur un ton sec et avec des mots courts; l'ordre pour une série de mouvements, sur un ton plus amical et avec des mots plus longs. N'oubliez pas que votre Afghan est un animal plutôt sensible et que, si vous lui donnez un ordre lorsque vous êtes

énervé, vous provoquerez chez lui la confusion et le doute.

2. Commencez le dressage par les exercices les plus faciles, en allant progressivement vers les plus difficiles. N'entreprenez pas une nouvelle phase du dressage avant que la phase précédente ne soit totalement assimilée.

3. Chaque phase du dressage se terminera quand le chien aura correctement accompli l'exercice. Si vous voyez que votre chien est fatigué, il est préférable d'interrompre la leçon dès qu'il aura accompli l'exercice de façon satisfaisante. N'oubliez pas de le féliciter. Quand l'exercice est composé de plusieurs mouvements et que votre chien n'a pas bien compris ou n'exécute pas correctement une partie de cet exercice, faites-le-lui répéter au complet, et pas seulement cette partie mal exécutée: vous devez obtenir un enchaînement parfait de tous les mouvements qui composent l'exercice.

4. Lorsque vous donnez un ordre, soyez gai, énergique et dynamique. Donnez l'exemple à votre chien. Évitez les mauvaises manières et les gestes d'impatience.

5. Vous devez faire répéter les exercices dans des endroits différents afin que l'environnement n'influence pas le chien. Quand les premiers exercices d'obéissance auront été bien assimilés, passez à des exercices plus difficiles.

6. Il est bon, avant de commencer une leçon, de laisser votre Afghan satisfaire ses besoins physiologiques; laissez-lui quelques minutes de liberté à cet effet.

7. Établissez un horaire pour le dressage du chien. Le meilleur moment est avant ses repas. Il con-

sidérera ainsi la nourriture qu'il reçoit comme une récompense pour avoir bien accompli ses exercices. N'amenez jamais votre Afghan sur le terrain d'exercices juste après les repas: le chien réagirait avec paresse et sans enthousiasme aux ordres que vous lui donneriez.

8. Si vous vous sentez nerveux, il vaut mieux renoncer à la leçon ou la reporter à plus tard; dans cet état, vous n'obtiendriez rien du chien et vous risqueriez même de compromettre ce que vous avez réussi jusque-là.

9. Comme tout un chacun, votre Afghan peut ne pas avoir envie de travailler ou être indisposé pour une quelconque raison. Observez toujours votre compagnon attentivement avant chaque leçon pour déceler s'il est ou non «d'humeur» à faire ses exercices. Traitez-le avec affection et humanité, préoccupez-vous de sa santé et décidez s'il est préférable de commencer la leçon ou de la remettre à plus tard.

10. Examinez tous les jours les pattes, les ongles et les espaces interdigitaux de votre Afghan; soignez-le si vous remarquez des piqûres, des lésions ou toute blessure mineure.

11. N'utilisez pas le collier clouté comme punition; ce collier ne devra être utilisé qu'avec un chien particulièrement rebelle; mais rassurez-vous, ce genre de caractère ne se rencontre pratiquement pas chez les Afghans. Si, malgré tout, tel est le cas, tirez faiblement sur la laisse tout en lui expliquant pourquoi vous le punissez. Le collier clouté ne doit être que rarement employé et uniquement si vous n'avez pas d'autre moyen pour lui faire comprendre que la désobéissance ne paie pas et doit être punie; mais évitez d'y recourir.

12. Ne vous laissez pas prendre au dépourvu par votre chien. Essayez de deviner pourquoi il refuse de faire un exercice: il est préférable de ne pas le lui faire exécuter plutôt que de le voir l'interrompre de lui-même.

13. Si votre chien refuse d'exécuter un exercice alors qu'il en est capable, grondez-le sévèrement *immédiatement* et ordonnez-lui de l'exécuter. Par contre, si votre chien s'est trompé parce qu'il n'a pas compris, faites-lui répéter l'exercice sans le gronder.

14. Ne prononcez pas de longues phrases en donnant des ordres à votre chien; il ne les comprendrait pas. Peu de mots sur un ton impératif sont préférables.

15. Quand votre élève a bien travaillé, récompensez-le par quelques tapes affectueuses sur le cou avec le plat de la main; faites-lui faire une petite halte dans son entraînement; offrez-lui une friandise, mais pas trop souvent, cela n'est guère conseillé pour sa bonne forme et sa santé. Quand vous le félicitez pour l'exécution de ses exercices, parlez-lui sur un ton amical et affectueux.

16. Comme nous l'avons expliqué pour le chiot, vous ne devez jamais interrompre une leçon avant que votre chien n'ait terminé l'exercice que vous lui avez donné à faire. Si néanmoins vous le faites, même une seule fois, vous créerez une habitude d'indiscipline et de désobéissance qu'il vous sera difficile, par la suite, de lui faire perdre.

17. Si vous avez décidé de dresser vous-même votre chien, vous ne devez jamais, au grand jamais, vous faire remplacer pendant le dressage. La personne qui prendrait votre place pourrait faire une erreur qu'il vous serait, par la suite, pratiquement

impossible de corriger, l'Afghan apprenant une fois pour toutes.

18. Ne faites pas de votre chien un clown en montrant à vos amis ce qu'il sait faire par des exhibitions d'habileté. Ce serait une grande erreur de transformer en jeu ce qui doit être, pour votre chien, un travail.

19. Lorsque vous aurez terminé la leçon de dressage, ne donnez pas tout de suite à boire au chien; attendez qu'il se soit calmé.

20. Après la leçon et avant de le libérer, brossez-le et frottez-lui énergiquement le dos, l'arrière-train et la poitrine avec une serviette destinée à cet usage. Laissez-le se détendre et satisfaire ses besoins physiologiques.

Le dressage

La première chose à faire lorsque vous décidez de dresser votre chien est d'établir une liste des exercices qui conviennent le mieux à son activité future, c'est-à-dire à la «profession» à laquelle vous le destinez. Vous observerez bien vite que votre Afghan est un animal facile à dresser. Il est intelligent. Il apprendra vite ses leçons et les mémorisera aisément.

Quoi qu'il en soit, vous avez acheté un chien pour faire de lui un ami et pour qu'il vous rende certains services. Il sera votre compagnon, mais pas votre chien de cirque, entraînez-le donc sérieusement et non pour faire l'amusement de vos amis.

Sachez que vous n'apprendrez absolument rien de nouveau à votre chien: il accomplit déjà tous les exercices, mais à son propre avantage; il se couche et s'assied, il saute, attaque, se défend et rapporte des objets.

En fait, lorsque l'on parle de dresser un chien, il s'agit de l'amener à utiliser son savoir-faire et ses aptitudes quand il en reçoit l'*ordre* et non selon son humeur. En d'autres mots, nous exploitons les possibilités du chien à notre profit, pour qu'il nous vienne en aide en cas de besoin, par exemple.

Ne commencez pas le dressage proprement dit avant que votre chien ait atteint l'âge de huit mois; il vaudrait même mieux attendre qu'il ait neuf mois. Il faudra attendre son premier anniversaire avant de lui faire exécuter des exercices d'attaque et de saut. Le faire avant cet âge comporte des risques de fractures ou de luxations, son ossature n'étant pas encore suffisamment solide. Consultez votre vétérinaire qui saura vous dire si vous pouvez commencer le dressage en considérant l'état du développement de l'animal.

Comme pour tout autre travail, vous aurez besoin, pour le dressage de votre Afghan, d'une série d'instruments qui vous seront utiles pour la plupart des exercices:

- un collier de cuir;
- un collier en chaînette métallique à noeud coulant;
- un collier clouté;
- un harnais et une laisse à mousqueton d'environ 6 m (20 pi);
- une laisse de dressage en cuir de 1,50 m (5 pi), équipée d'un mousqueton;
- un fouet en cuir de 1 m (3 pi) de long (genre cravache);
- une muselière en cuir à trame serrée;
- un bâtonnet de 25 à 30 cm (de10 à 12 po) de long;
- une corde en plastique ou en chanvre de 10 m (30 pi) avec des crochets permettant d'en réduire la longueur selon les besoins;
- un vêtement pour l'attaque en toile assez épaisse

et rembourré de cuir;
- un revolver tirant à blanc et à forte détonation, qui doit ressembler à une arme véritable;
- une brosse;
- un petit grattoir métallique;
- une serviette épaisse et raide;
- un cercle de 80 cm (2,5 pi) de diamètre avec un socle réglable jusqu'à environ 1,50 m (5 pi);
- un obstacle en bois, pour faire sauter le chien, démontable et d'une hauteur réglable de 10 cm (4 po) à 1,50 m (5 pi).

Voyons maintenant quel usage vous ferez de ce matériel:

Le collier en chaînette métallique à noeud coulant peut être soit fixe, soit mobile. Il sert, dans les exercices où l'Afghan est tenu en laisse, à le rappeler ou à lui faire comprendre qu'il a mal exécuté un exercice.

Le collier clouté devra être employé avec beaucoup de mesure et de prudence. Il s'agit d'une punition très douloureuse, car le cou est une partie délicate du corps de l'animal. Ce collier ne devrait être utilisé que pour mater un chien agressif, très rebelle ou paresseux, qui mérite une bonne punition.

Le harnais et la laisse à mousqueton sont utilisés au cours des exercices en plein air lorsqu'il s'agit de retrouver une personne. Ils vous permettront de suivre à distance le chien parti sur les traces de la personne recherchée.

La laisse de dressage en cuir est l'instrument de correction au cours des exercices. Elle peut aussi servir de signal pour les exercices à distance.

Le fouet en cuir du genre cravache sert à provoquer le chien pendant les premiers exercices d'attaque. Employez-le plus pour le menacer que pour le frapper.

Menacé, votre chien réagira vivement, et vous le mettrez encore plus en colère en lui donnant quelques légers coups.

La muselière en cuir à trame serrée est utilisée avant que votre chien ne soit entraîné à obéir à l'ordre de «lâcher prise». Vous l'emploierez donc dans les premiers exercices d'attaque et de garde d'objets.

Le bâtonnet est utilisé pour apprendre au chien à rapporter des objets et à les sortir de l'eau. Vous l'utiliserez également pour lui enseigner le sauvetage de personnes tombées à l'eau.

La corde en plastique ou en chanvre est parfois utilisée dans les exercices de recherche de personnes, et plus particulièrement lors d'exercices où l'Afghan doit parcourir de longues distances.

Le vêtement pour l'attaque doit être endossé par la personne qui joue le rôle de l'agresseur au cours des exercices d'attaque libre succédant à l'entraînement sans muselière et sans laisse. Ce vêtement servira à protéger l'«agresseur» contre les attaques du chien entraîné à devenir un compagnon de garde.

Le revolver à blanc habitue le chien au bruit des détonations et stimule son instinct de gardien. Il habitue l'animal, au premier signe de la présence de malfaiteurs, à se diriger vers l'endroit d'où la détonation est partie.

La brosse, le grattoir et la serviette sont nécessaires pour la toilette du chien. Brossez-le à la fin de chaque leçon. Utilisez avec précaution le grattoir: servez-vous-en pour nettoyer sa robe. Frictionnez le poil et la peau du chien avec la serviette. Ces opérations favorisent la circulation du sang, la relaxation des muscles et la détente.

Le cercle à socle réglable est utilisé pour donner au chien l'habitude de sauter dans différentes situations. Commencez par lui faire exécuter le saut dans un cercle simple pour en arriver, progressivement, à le faire sauter dans un cercle enflammé.

L'obstacle démontable et réglable permet aussi au chien d'apprendre à sauter des obstacles quand les circonstances l'imposent ou lorsque vous le lui demandez.

Les différents exercices

Exercice: la marche au pied

Les ordres: «au pied» et «va».
Le matériel: le collier à noeud coulant et la laisse de dressage.
Les punitions. pour une erreur légère: «non», d'une voix douce; pour une erreur sérieuse: «pfft», d'une voix sèche et sévère.

Le but de cet exercice est d'apprendre au chien à vous suivre, quel que soit le parcours, tout en restant à vos côtés, toujours à votre gauche, sans vous dépasser ni rester en arrière. À la fin de cet exercice, votre compagnon saura marcher correctement en laisse sans tirer sur le collier.

Mettez-lui le collier à noeud coulant auquel vous aurez fixé la laisse de dressage. Placez le chien à votre gauche, de telle façon que son épaule soit à la hauteur de votre genou et ses pattes au niveau (plus ou moins) de la pointe de vos chaussures. L'espace entre votre genou et le chien devra être d'environ 10 cm (4 po). Veillez à ce que la ligne de la colonne vertébrale de votre chien demeure parfaitement perpendiculaire à la verticale de votre jambe. Il faudra que le chien s'habitue à marcher droit et qu'il ne prenne pas la mauvaise habitude de marcher obliquement.

Au moment de commencer l'exercice de la marche au pied, tenez la laisse dans votre main droite; votre main gauche doit être près du mousqueton, toujours prête à diriger les premiers essais de votre chien. Votre Afghan, qui aura jusqu'à ce moment-là toujours été libre de ses mouvements, sera étonné, mais n'y faites pas attention. Ordonnez-lui: «au pied» afin qu'il prenne la position correcte; ensuite, ordonnez-lui: «va» pour commencer la marche. Il est très important, lorsque vous ordonnez l'ordre «au pied», de vous frapper en même temps la cuisse gauche. Faites un signe de la main qui indiquera le moment du départ en donnant l'ordre «va».

Votre chien commettra quelques erreurs lors de ses premières tentatives; aidez-le en lui faisant répéter l'exercice, en corrigeant ses erreurs sans vous mettre en colère. Si votre chien s'éloigne de votre genou, corrigez-le en lui faisant recommencer l'exercice le long d'un mur.

Exercice: assis

L'ordre: «assis».
Le matériel: le collier à noeud coulant et la laisse de dressage.
Le lieu de
l'exercice: sur la piste.

Cet exercice a pour but d'apprendre au chien à s'asseoir lorsque vous lui en donnez l'ordre. Ordonnez-lui: «au pied», puis: «assis» en appuyant sur sa croupe pour le forcer à s'asseoir tout en lui maintenant le menton dans la bonne position. Apprenez-lui ensuite à répondre aux signaux. Mettez-vous au garde-à-vous et ordonnez-lui: «assis» tout en étendant le bras droit, de façon à former un angle droit avec votre corps. Le chien comprendra rapidement que le bras tendu et l'ordre «assis» ont la même signification.

Exercice: aboiement sur ordre

Les ordres: «aboie» et «assez».
Le matériel: le collier à noeud coulant et la laisse de dressage.

Attachez votre chien avec sa laisse à un poteau ou à un arbre. Placez-vous devant lui et, avec l'index pointé dans sa direction, donnez-lui l'ordre «aboie» et menacez-le en agitant l'index. Évidemment, le chien ne réagira pas. Éloignez-vous. Le chien ne pourra pas vous suivre puisqu'il est attaché; il protestera en aboyant; il faudra alors vous retourner immédiatement en ordonnant à nouveau: «aboie» tout en agitant l'index. Félicitez-le.

Dès que votre chien répondra sans hésiter, habituez-le à aboyer devant une situation insolite ou un objet étrange.

Apprenez-lui à se taire; pour cela serrez-lui le museau avec la main droite et répétez sans cesse: «assez». Dès qu'il aura réussi cet exercice, félicitez-le chaleureusement.

Exercice: appel au pied

L'ordre: «viens».
Le matériel: le collier à noeud coulant et la laisse de 6 m.

Vous avez sûrement déjà habitué votre chien à accourir vers vous dès que vous prononcez son nom. Cet exercice lui apprendra à se placer à côté de votre pied gauche ou devant selon l'ordre que vous lui donnerez.

Pour cet exercice, tenez le chien en laisse. Lancez une pierre, ou un autre objet, loin de vous, mais pas à plus de 6 m (20 pi), et dites-lui d'aller le chercher. Dès qu'il arrivera près de la pierre, donnez-lui l'ordre «viens» et tirez sur la laisse pour l'obliger à revenir. Caressez-le et félicitez-le.

Exercice: arrête

L'ordre: «arrête».
Le matériel: le collier à noeud coulant, la laisse de 6 m et un sifflet à ultra-sons.

Cet exercice est important puisqu'il vous permettra d'empêcher votre chien d'attaquer sans raison. Donnez l'ordre «assis». Placez-vous face à votre chien et, après quelques instants d'immobilité, ordonnez: «viens» en levant le bras. Dès qu'il commence à s'approcher, ordonnez: «arrête» en étendant le bras droit, la paume de la main tournée vers l'avant.

Exercice: couché

L'ordre: «couché».
Le matériel: le collier à noeud coulant et la laisse de dressage.

Ordonnez à votre chien: «assis» et, dès qu'il sera en position assise, prenez la laisse dans votre main gauche, près du mousqueton qui la fixe au collier et donnez l'ordre «couché». De la main droite, poussez-le par terre pour le forcer à s'étendre, les pattes antérieures allongées en avant, le ventre contre terre et les pattes postérieures repliées.

Exercice: debout

L'ordre: «debout».
Le matériel: le collier à noeud coulant et la laisse de dressage.

Ordonnez à votre chien: «assis» puis: «couché» et éloignez-vous. Il prendra automatiquement la position «debout» pour vous suivre.

Faites de ce désir un ordre. Ordonnez au chien: «assis» et, après quelques instants, en restant immobile, ordonnez-lui: «debout». Votre chien devra se lever en soulevant les pattes postérieures, sans bouger de l'endroit où il se trouve. Pour en arriver à ce résultat, tenez la laisse de la main gauche, près du mousqueton, et préparez-vous à employer votre pied gauche comme levier, en le plaçant sous le ventre du chien, entre les pattes antérieures et les pattes postérieures. En donnant l'ordre «debout», tirez la laisse vers le haut et poussez du pied le ventre du chien dans la même direction en l'obligeant à se lever.

Exercice: la marche derrière le maître

L'ordre: «en arrière».
Le matériel: le collier à noeud coulant, la laisse de dressage et quelques brindilles sèches.

Mettez au chien sa laisse de dressage et donnez-lui l'ordre «au pied», faites-lui exécuter ensuite quelques exercices «assis», «couché» et «debout», puis de nouveau «assis». Demandez à votre compagnon de rester immobile et faites quelques pas jusqu'à ce que la laisse, que vous tenez dans votre main droite, soit tendue derrière vous. À ce moment-là, donnez-lui l'ordre «viens».

Votre compagnon voudra prendre la position apprise «au pied», mais, à l'aide de quelques brindilles tenues dans votre main gauche, que vous agiterez derrière votre dos sans toucher son museau, empêchez-le d'avancer en lui donnant l'ordre «en arrière».

Exercice: le saut d'obstacles

L'ordre: «saute».

Le matériel: le collier à noeud coulant, la laisse de 6 m, l'obstacle à hauteur réglable.

Placez les planchettes à une hauteur de 40 cm (16 po). Mettez au chien la laisse de 6 m (20 pi); faites-lui prendre la position «au pied». Sautez l'obstacle en tirant sur sa laisse et en donnant l'ordre «saute». Votre chien franchira l'obstacle sans problème. Répétez l'exercice, ajoutez une planchette pour que l'obstacle ait environ 50 cm (20 po) de haut. Félicitez-le à chaque fois. Lorsqu'il se sera bien familiarisé avec cet ordre et avec cet exercice, faites-le-lui exécuter sans laisse et réglez la hauteur de l'obstacle de plus en plus haut selon les capacités de votre chien et sa grandeur, évidemment. N'augmentez pas la hauteur de l'obstacle tant que votre compagnon n'aura pas sauté avec confiance la hauteur précédente.

Exercice: le rapport d'objets

Les ordres: «rapporte» et «laisse».

Le matériel: le collier à noeud coulant, la laisse de dressage et le bâtonnet.

Commencez par laisser votre animal jouer avec le bâtonnet afin qu'il s'y habitue. Lancez-le ensuite au loin. Il vous le rapportera avec joie.

Reprenez le bâtonnet et, sans jouer cette fois, donnez l'ordre «au pied» et faites une petite promenade, tout en gardant le bâtonnet dans votre main droite. Arrêtez-vous et faites le geste de l'offrir au chien; quand il voudra le prendre, donnez l'ordre «rapporte» tout en l'approchant de sa gueule.

Quand il aura appris à tenir l'objet dans sa gueule sans votre aide, vous pourrez lui donner l'ordre «laisse» tout en enlevant le bâtonnet de sa gueule et en le caressant pour le féliciter.

Exercice: la recherche et le rapport d'objets

L'ordre: «cherche et rapporte».
Le matériel: le collier à noeud coulant, la laisse de dressage et le bâtonnet.

Offrez au chien l'objet qu'il devra rapporter, mais ne le lui mettez pas dans la gueule. Tenez-le à distance et augmentez cette distance jusqu'à l'endroit où votre chien devra le ramasser. Dès que votre animal saura comment faire pour rapporter l'objet et qu'il comprendra l'ordre, jetez le bâtonnet au loin et donnez l'ordre «cherche et rapporte». Lorsqu'il aura ramassé l'objet, donnez l'ordre «viens» et, dès qu'il vous aura rejoint, donnez l'ordre «laisse». N'oubliez surtout pas de féliciter l'animal à chaque exercice bien fait.

Exercice: la recherche d'objets ou de personnes

Le flair est l'un des sens les plus développés du chien: il lui permet de repérer facilement une présence étrangère près de son habitation.
Certains éléments facilitent la tâche à l'Afghan:
a. L'atmosphère fortement humide et le ciel couvert: les odeurs sont plus fortes, et l'évaporation, plus faible.
b. Un sol plus chaud que l'atmosphère: les courants d'air sont faibles sinon inexistants.
c. Les endroits où pousse beaucoup d'herbe et les

endroits boisés: la végétation agit comme brise-vent.

d. La nuit. Les premières heures du jour et celles qui suivent le coucher du soleil, pendant l'été: l'évaporation est plus lente.

e. L'odeur de la personne perdue ou en fuite: plus l'odeur sera forte, plus votre compagnon aura de la facilité à la retrouver; si par exemple:
- elle respire,
- elle sent le parfum,
- elle est sale,
- elle est blessée et saigne,
- elle a pris de l'alcool ou des médicaments.

f. La rapidité: plus le temps s'écoule, plus il sera difficile pour votre animal de retrouver une trace.

Certains éléments rendront par contre la recherche plus difficile:

a. Un soleil de plomb et de fortes chaleurs.

b. Les pluies torrentielles.

c. Les eaux courantes comme le gué d'un ruisseau.

d. Les terres sablonneuses et silicieuses, un sol sec: le vent emportera des indices de recherche.

e. Les vents forts et les ouragans; plus particulièrement, les vents secs et venant de l'ouest.

f. Les terres remuées et les sols fraîchement labourés.

g. La neige et le verglas qui recouvrent les traces.

h. L'environnement urbain où toutes sortes d'odeurs se mélangent.

i. Les surfaces très propres.

L'ordre: «va, cherche».

Le matériel: une balle de caoutchouc, du fromage, la laisse de 6 m, le harnais en cuir pour la recherche et une corde de 30 m (100 pi).

Initiez votre chien à cet exercice très tôt, vers l'âge

de quatre mois. Profitez des jeux pour lui lancer la balle de caoutchouc afin qu'il vous la rapporte. Au fur et à mesure, compliquez le jeu en lançant la balle dans un lieu caché mais connu du chiot. Passez la balle dans du fromage, faites-la-lui flairer, reprenez-la et faites-la rouler sur le sol pour laisser sur son parcours l'odeur du fromage. Commencez à lui donner l'ordre «va, cherche».

Ensuite apprenez à l'Afghan à vous retrouver alors que vous vous serez caché. S'il ne vous trouve pas, appelez-le jusqu'au moment où il découvrira votre cachette.

L'étape suivante consistera à suivre une piste préalablement tracée. Utilisez le harnais et la laisse de 6 m (20 pieds). Attachez le chien à un lampadaire, à un poteau ou à un arbre pour qu'il ne puisse pas vous suivre et faites-lui flairer un morceau de viande. Faites ensuite un parcours en ligne droite et piétinez soigneusement le tracé devant l'animal. Commencez par piétiner une surface d'environ un demi-mètre carré (5 pieds carrés). À la fin du parcours, déposez un objet que votre chien affectionne et retournez auprès de lui. Détachez-le et faites-lui flairer le terrain que vous avez piétiné en lui donnant l'ordre «va, cherche».

Il se mettra à flairer en suivant la piste jusqu'au moment où il trouvera l'objet. Ne manquez pas de le féliciter. Votre élève aura appris à chercher quelque chose dont vous avez besoin.

La deuxième étape de cet exercice consiste à lui apprendre que vous ne cherchez pas toujours la même chose. Demandez à quelqu'un que votre Afghan connaît bien de vous aider: un enfant du voisinage, par exemple. Commencez par piétiner une surface d'un demi-mètre carré (5 pieds carrés) devant le chien avant de tracer une piste. Cette piste devra être tracée par votre assistant: il marchera en ligne droite sur une distance de 45 à 50 m

(150 à 165 pi), puis tournera à droite ou à gauche pour se cacher.

L'animal, qui portera son harnais et sa laisse, aura observé l'assistant tout en restant à vos pieds. Ordonnez-lui ensuite: «va, cherche». Vous suivrez, en marchant, la piste tracée par votre assistant. Répétez cet exercice pendant plusieurs jours, mais en changeant d'assistant (qui sera toujours une personne que votre élève connaît bien et qui lui est sympathique).

Apprenez ensuite à votre chien à chercher votre assistant, mais sans qu'il ait pu le voir, en vous servant de ses vêtements. Avant de commencer l'exercice, inspectez bien le parcours en y laissant des repères. Demandez à votre assistant de se cacher environ un quart d'heure avant que vous n'arriviez sur les lieux. Emmenez votre chien à environ 50 m (165 pi) de sa cachette. Emportez avec vous un des vêtements de votre assistant comme une chaussure ou une chaussette (choisissez toujours un vêtement à l'odeur forte) et faites-le flairer par votre chien durant plusieurs minutes. Ordonnez alors: «va, cherche» en pointant le doigt vers le sol.

Continuez cette leçon, une fois l'exercice précédent réussi, avec un autre collaborateur et des objets différents. La découverte de personnes cachées devra être bien récompensée, mais n'oubliez pas que cette récompense ne doit venir que de vous; votre Afghan ne doit jamais rien recevoir de personnes étrangères.

Exercice: le refus des aliments donnés par un étranger ou trouvés

L'ordre: «pfft».

La méthode la plus employée par les délinquants pour se soustraire au courroux d'un chien de garde est de lui offrir un appât empoisonné afin de se débarrasser de lui. Vous devez donc apprendre à votre Afghan à refuser toute nourriture qui lui serait donnée par un inconnu. Vous aurez besoin de toute votre patience, parce que votre chien est insatiable quand on lui offre un aliment qu'il aime; il mangera la nourriture qu'il ait faim ou non.

Les repas du chien doivent avoir lieu à heures fixes, mais pendant le dressage nous vous conseillons de ne lui donner à manger que le soir afin de ne pas l'alourdir avant la séance. Afin de mener à bien cet exercice, vous aurez besoin de l'aide de plusieurs de vos amis; choisissez des personnes que votre chien connaît et d'autres qu'il ne connaît pas du tout.

Faites jeûner l'animal une fois par semaine et, quand il est à jeun depuis la veille, amenez-le vers la piste où arrivera un assistant que votre chien connaît déjà. Bavardez et laissez votre ami caresser l'animal. Attachez le chien à un arbre et éloignez-vous pour vous cacher dans un coin d'où vous pourrez observer ce qui se passe. Votre ami s'approchera du chien, avec un journal enroulé, tout en veillant à laisser une distance de 20 cm (8 po) entre lui et le chien en laisse. Il l'appellera par son nom et lui offrira un morceau de viande vieux de quelques jours. Mais juste au moment où le chien voudra prendre le morceau de viande dans sa gueule, votre assistant devra retirer sa main et donner au chien un coup sec sur le museau et un autre coup sur les pattes avec le journal roulé. Il s'en ira ensuite rapidement. Sortez de votre cachette et dites au chien: «non», et quand votre ami le frappera, dites-lui: «pfft». Votre ami, en partant, aura laissé tomber le morceau de viande près du chien; ramassez-le, montrez-le-lui et répétez: «non, pfft» tout en lançant la viande loin de vous.

À la leçon suivante, votre Afghan ne devra pas connaître votre assistant. Bavardez avec ce dernier devant le chien. Votre ami sortira de sa poche un aliment qui ne sera pas de la viande, cette fois-ci. Comme dans l'exercice précédent, il offrira cet aliment au chien et le frappera de la même façon. Votre ami partira rapidement en faisant du bruit. Retenez votre chien tout en ordonnant: «aboie, aboie».

Par la suite, faites-lui répéter l'exercice en le laissant en liberté.

Exercice: le respect de votre mobilier

Votre fauteuil favori ou celui d'un membre de votre famille sera également le fauteuil favori de votre Afghan. La raison en est que ce meuble garde les odeurs qui lui sont familières, celles de son maître ou celles d'autres membres de la famille qui est, en fait, également sa famille. Il est évident qu'il pensera avoir lui aussi tout à fait le droit de s'y étendre ou de s'y asseoir!

Comment s'y prendre pour le faire changer d'idée? La solution la plus simple pour briser cette mauvaise habitude est de poser sur le fauteuil que votre Afghan préfère un chiffon imprégné d'un liquide spécial que les chiens ne supportent pas. Il sautera sur le fauteuil, reniflera, fera demi-tour et ne recommencera plus jamais.

Vous pouvez aussi tenter de l'éduquer. Dès qu'il sautera sur un fauteuil, ordonnez-lui: «viens», comme vous le lui avez enseigné dans les leçons de dressage; il quittera immédiatement son fauteuil et viendra vous rejoindre. Parlez-lui très sévèrement. Après s'être fait gronder plusieurs fois, il ne remontera plus sur votre fauteuil favori...tout au moins en votre présence! Le problème sera évidemment de l'en éloigner définitivement.

Vous pouvez aussi recourir à une autre méthode: achetez quelques souricières, placez-les sur «son» fauteuil favori, puis recouvrez-les de quelques feuilles de journal. Dès que votre Afghan sautera sur le fauteuil, une des souricières se fermera avec un bruit sec; effrayé, votre chien sautera du fauteuil; s'il essaie une seconde fois, une autre souricière claquera et votre compagnon aura compris la leçon.

Vous pouvez également le dresser à se rendre au lit quand vous le lui ordonnez: apprenez-lui le mot «lit» en le lui répétant d'une voix sourde et forte et en lui montrant sa couche; faites-le plusieurs fois jusqu'à ce qu'il comprenne. Vous pourrez ainsi toujours l'envoyer se coucher s'il occupe votre place.

Sous-estimation des capacités de votre Afghan

Ayez confiance en votre Afghan et, s'il lui est parfois difficile d'accomplir les exercices que vous lui imposez, ne le lui reprochez pas trop, agissez avec discernement; pensez à son amour-propre.

Surestimation des capacités de votre Afghan

Ne poussez pas votre compagnon au-delà de ses limites. En observant attentivement votre Afghan, vous connaîtrez à la fois ses qualités et ses défauts. Si certains exercices lui font horreur, ne le forcez pas à les exécuter: soyez patient, sinon vous pourriez provoquer des crises nerveuses qu'il vous serait difficile d'éliminer par la suite.

La fin du dressage

Au début de ce chapitre, nous vous disions qu'il serait peut-être préférable d'employer le terme d'apprentissage plutôt que celui de dressage. Maintenant que vous avez terminé cette éducation, vous serez sûrement d'accord avec nous pour dire qu'effectivement vous aviez devant vous un chien à l'état brut, que vous l'avez dégrossi en lui apprenant tout ce qu'un apprenti doit savoir et que, à la fin de l'apprentissage, il est réellement devenu votre compagnon. Votre chien se considère désormais comme votre égal, trottinant à côté de vous, fier de sa fourrure bien lisse, vous jetant de temps à autre un regard complice...

L'Afghan vieillissant

Un jour viendra où vous remarquerez que votre chien n'a plus guère d'intérêt pour la vie sexuelle; il deviendra moins agressif et, même s'il désire toujours participer à la vie de votre famille, ses réactions seront moins vives: il n'aura plus l'agilité et l'énergie de sa jeunesse. Il tombera plus souvent malade et sera plus sujet aux rhumatismes. Le moment de sa «retraite» sera arrivé et vous devrez le garder chez vous et le soigner comme le «vétéran» qu'il est devenu. Le vieux chien ressemble beaucoup à un bébé. Déjà durant sa vie active, il avait un grand besoin d'affection; l'âge aidant, ce besoin d'amour ne fera que s'amplifier. Il deviendra un merveilleux chien de compagnie.

Il se pourrait qu'il ne puisse plus se mouvoir seul. Une solution à ce problème vient d'être découverte: un industriel français vient d'inventer le «Canis-mobile» qui est une sorte de chariot monté sur roues, qui soutient le chien handicapé et qui permet également l'accès aux marches et aux trottoirs; ainsi votre compagnon retrouvera une grande part de son autonomie.

Les vétérinaires interrogés trouvent à ce procédé un grand avantage puisqu'il permet aux chiens d'avoir une digestion tout à fait normale, à l'encontre des chiens qui doivent se traîner à cause de leur paralysie, ce qui provoque des blocages d'estomac pénibles. Cet industriel français, M. Fradin, fait remarquer que l'appareil ne corrige rien, mais qu'il aide l'Afghan dans ses mouvements; l'essentiel sera de lui permettre de faire ses besoins seul, ce qui vous soulagera puisque vous n'aurez plus, à tout moment, à être au service de votre chien handicapé. Ce «Canis-mobile» peut être employé en cas d'immobilisation temporaire, d'une paralysie des membres postérieurs ou de l'arrière-train, de hernies discales, etc.

Le fabricant peut, évidemment, construire ce chariot selon la taille du chien handicapé.

Soyez attentif à sa santé déclinante et n'hésitez pas à vous rendre chez votre vétérinaire pour le faire examiner.

Il n'a plus que vous et votre famille comme environnement; vous aurez à coeur de lui consacrer encore plus de temps et d'attention que jamais. Vous continuerez à faire votre promenade avec lui, mais en marchant plus lentement, chaque mouvement lui étant désormais plus pénible. Il deviendra plus possessif envers son entourage: n'y voyez pas un travers mais une preuve d'amour et acceptez qu'il soit parfois irritable: c'est l'âge...

La chaleur de son regard et sa gentillesse vous dédommageront des efforts que vous ferez pour rendre ses dernières années aussi agréables que possible. (En général, un Afghan vit de douze à quinze ans.)

Il arrivera un jour où tous les médicaments seront impuissants à le garder en vie; il vous faudra alors prendre la grave décision de vous séparer de lui pour toujours. Ne vous en occupez pas vous-même, cela vous briserait le coeur; demandez à votre vétérinaire d'agir. À l'aide d'une injection de Penthotal ou de Nembutal, il fera entrer votre Afghan dans un sommeil profond qui le fera passer au néant sans souffrance. Nous ne pouvons vous conseiller d'assister ou non à l'opération; cela dépendra de votre sensibilité, de votre lien avec le chien, de votre désir de partager avec lui ses derniers instants...

Il est recommandé de brosser l'Afghan à fond tous les deux jours, pour éliminer le poil mort et les différents parasites.

La vie sociale
de l'Afghan

Le choix que vous avez fait de devenir le maître de l'Afghan a été surtout motivé par sa grande beauté. Vous aviez toujours rêvé de vous promener avec un compagnon si noble d'allure; voilà votre rêve réalisé.

La beauté de l'Afghan ne doit pas vous faire oublier qu'il peut, grâce à un dressage adéquat, devenir un bon gardien, capable de vous rendre bien des services.

En dehors de ses «heures de garde» cependant, il sera le point central de la famille lorsque vous vous trouverez au salon et qu'il saura choisir judicieusement le meilleur fauteuil, ou encore la meilleure place devant le feu en hiver, l'endroit le plus frais en été...

Le dressage en aura fait un chien qui obéira au doigt et à l'oeil, à condition que son éducation ait été faite avec intelligence et patience; l'Afghan aime la douceur, même dans le dressage. Il cache, sous des airs distants, un coeur d'or. S'il est vrai que l'Afghan est le chien d'un seul maître, il fera preuve d'un grand attachement aux autres membres de la famille et saura le manifester. Vous pourrez discuter avec lui; il vous répondra de sa voix distinguée et d'un regard compréhensif...

Ce n'est pas parce qu'il est décoratif dans votre salon que vous ne devez pas l'emmener en promenade; n'oubliez pas que c'est un grand sportif, capable de courir très longtemps; il n'y a pas meilleur chien pour le maître qui aime faire de l'exercice et garder la forme : ce n'est pas avec l'Afghan que vous grossirez...

Il est indispensable de brosser et de toiletter votre compagnon si vous ne voulez pas avoir honte de lui, d'une part, et le rendre malheureux, d'autre part. Vous feriez bien d'expliquer à vos enfants comment faire afin qu'ils puissent prendre le relais, si vous êtes occupé ou fatigué. Mieux, si vous désirez faire de votre Afghan un chien de concours et de compétition, il faudra que vous consacriez encore plus de temps à sa beauté, mais quelle récompense s'il remporte une médaille, n'est-ce pas? Sa gloire rejaillira sur vous et sur toute la famille.

Votre Afghan aime jouer; si vous le voyez vous saluer en abaissant la moitié antérieure de son corps, l'arrière-train dressé, et en posant ses pattes de devant toutes droites devant lui, et vous regarder de ses yeux intelligents, comme s'il voulait vous hypnotiser, le message est clair:« Et alors, on joue?»

L'Afghan et les enfants

Votre Afghan vient de passer le pas de votre porte, et il vous faut lui faire faire connaissance avec vos enfants. Le chien est encore petit, et il vaut mieux prévenir votre entourage que sa taille va rapidement changer...

Quoi qu'il en soit, la tâche est délicate, mais vous en sortirez certainement si vous agissez avec doigté et douceur. Ne présentez pas votre chien aux enfants mais, au contraire, présentez les enfants à l'Afghan qui se rappellera certainement fort bien le nom de chacun d'eux; de son air altier il fera comprendre que tout est bien enregistré; ensuite seulement vous présenterez votre Afghan aux enfants en leur donnant son nom dont, il faut le faire remarquer, il se souviendra très bien. Votre Afghan aime s'amuser et participera à tous les jeux que vos enfants proposeront: son intelligence lui permet d'assimiler rapidement les règles et, majestueusement, il prendra même la direction des opérations, ce qui laissera vos enfants bouche bée...

Vous expliquerez aux enfants que le nouveau venu n'est pas une boule de poils (qu'il a très courts quand il est encore un chiot) sur lesquels ils peuvent tirer. Ouvrez bien la gueule de votre Afghan et montrez-leur les dents du chien qui peuvent faire mal (exagérez même un peu) en réponse à un mauvais traitement de leur part comme, par exemple, le fait de tirer sur ses oreilles qu'il a sensibles, comme tout autre chien, ou d'essayer de lui arracher des poils; la réaction pourrait être vive; mettez-les en garde et surtout enseignez-leur, s'ils sont petits, à ne pas avaler de poils...

Profitez donc de l'occasion de cette présentation mutuelle pour apprendre aux enfants à respecter les animaux; cela leur servira certainement un jour dans la vie! Nous savons tous que la queue d'un chien n'est pas un cordon de sonnette sur lequel on tire mais...le leur avez-vous appris?

Vous n'aurez pas de difficulté à faire pénétrer votre Afghan au sein de la famille, il saura comment agir et faire comprendre que ses dimensions lui permettent d'«avoir son mot à dire». Il acceptera de jouer à la condition, bien sûr, qu'il ne soit pas brutalisé et, si vos enfants se conduisent correctement avec lui, il acceptera sans façon les rôles qui lui seront dévolus.

La situation pourrait être plus délicate si vos enfants invitent leurs petits amis: l'Afghan est méfiant par nature et le dressage destiné à en faire un chien de garde (toutes proportions gardées) l'aura rendu encore plus froid et vigilant; dans un premier temps il les observera de ses yeux sans expression mais il enregistrera fort bien les mouvements des petits invités pour décider s'ils sont «acceptables» ou pas. En général, votre chien acceptera les «intrus».

Il ne faudra pas que les enfants se bagarrent devant lui, il n'aime pas du tout cela et pourrait intervenir au bénéfices des «siens».

Si parmi vos enfants, vous en avez un qui est taciturne, celui-ci pourra trouver un grand réconfort psychologique à observer ce grand chien plein de gentillesse et qui le regarde de ses yeux bienveillants.

Si vos enfants aiment l'aventure, votre Afghan non seulement participera aux randonnées mais en prendra la direction, et chaque randonnée deviendra une véritable expédition sportive dont ils reviendront tous fatigués et heureux.

Mais que ferez-vous si la famille doit s'agrandir et que votre Afghan est déjà bien installé dans la maison? La vie du chien sera bouleversée quand le bébé reviendra dans les bras de sa mère prendre sa place dans la maisonnée. Vous serez obligé d'interdire certaines libertés au chien et vous aurez moins de temps pour vous occuper de lui.

Mais ces limitations ne devraient pas coïncider avec la naissance du bébé. Vous y penserez à l'avance et éduquerez en conséquence votre Afghan en lui donnant sa place de chien et non une place équivalant à celle de l'enfant attendu. Si vous n'agissez pas ainsi, votre compagnon croira que l'on cesse de le dorloter comme un enfant gâté parce que le bébé prend sa place; une certaine animosité pourrait se développer, qui sera difficile à éliminer. Le problème est le même avec toutes les races de chiens, mais l'Afghan, de descendance royale, a tendance à être jaloux de ses prérogatives.

Avant l'arrivée du bébé, donnez à votre Afghan une brassière portée par le bébé afin que le chien se familiarise avec cette nouvelle odeur: ne changez pas votre façon de faire puisque vous lui aurez, selon nos conseils, donné sa place de chien au sein de la famille. N'oubliez pas de caresser votre chien quand vous êtes avec votre bébé; parlez-lui comme avant afin qu'il ne nourrisse pas une jalousie déjà trop naturelle chez lui et une rivalité chien-bébé que vous devez absolument éviter.

Ce que l'enfant devra vaincre

Votre enfant devra avant tout admettre le fait que votre Afghan, malgré sa taille imposante, est bien un être vivant et non un robot mécanisé dont on fait usage selon ce qui passe par la tête. Faites accepter par l'enfant que ce grand chien voudra toujours être «de la partie» et qu'il l'affirmera par ses jappements revendicateurs. L'enfant devra apprendre à ne pas entraîner le chien au gré de ses impulsions bien que l'Afghan, dans sa sagesse tout orientale, soit bien capable de raisonner par lui-même et de refuser, s'il le faut, des propositions trop aventureuses. Vous enseignerez également à l'enfant à surveiller le chien au cours des promenades; l'Afghan est très capable de s'enfuir instinctivement, se rappelant son passé de lévrier, et vous aurez alors la tâche de le retrouver; mieux vaut prévenir que guérir, et votre Afghan devra être surveillé attentivement au cours des promenades et même tenu en laisse dans des quartiers inconnus de lui d'où il ne saurait comment rentrer s'il lui prenait la fantaisie de faire une soudaine escapade. Votre enfant devra vaincre également une compassion mal placée qui lui ferait gaver son compagnon de sucreries. Expliquez-lui que l'Afghan a les dents sensibles et que cela gâterait sa denture comme cela gâterait la denture de l'enfant lui-même s'il en suçait tout le temps. L'enfant comprendra et acceptera, mais surveillez néanmoins le débit du sachet de sucreries: votre Afghan est fort capable de prendre un air attristé et malheureux pour se faire offrir par l'enfant le bonbon défendu, bien que les Afghans, en général, ne soient pas friands de sucreries. La gourmandise n'est pas un péché capital pour lui; il pourrait tout simplement mendier une friandise pour se prouver son pouvoir.

Ce que l'enfant devra accepter

Vous commencerez par expliquer à votre enfant que les oreilles de l'Afghan sont faites pour écouter et non pas pour se faire tirer dessus. Votre Afghan est un être respectable, et l'enfant devra accepter de ne pas se défouler sur lui; vous lui expliquerez que votre Afghan n'a pas à supporter de sévices sous prétexte d'affection. Faites-lui comprendre que l'Afghan est capable, dans certaines circonstances, assez rares il faut le dire, d'avoir des réactions vives, qu'il regrettera par la suite, bien sûr, mais qui peuvent effrayer l'enfant et même lui faire du mal. Vous ferez également comprendre à l'enfant, sans pour cela lui donner un complexe de supériorité, que sa position sociale est supérieure à celle de son compagnon; l'explication sera délicate et difficile du fait de la grande taille du chien, qui inspire le respect.

Comment enseigner à un enfant à bien se conduire avec un Afghan

Une des meilleures méthodes préconisées sera

encore de faire participer l'enfant au dressage. Enseignez-lui les ordres simples que l'Afghan acceptera de lui sans façon; ils apprendront ainsi à se respecter mutuellement. Votre Afghan, grand sentimental et romantique, a besoin d'affection, et votre enfant aussi: ils peuvent satisfaire ensemble ce besoin en se faisant guider par les parents ou les maîtres.

Si vous partez faire une promenade avec votre Afghan, emmenez donc votre enfant et profitez-en pour rappeler à ce dernier certaines règles qu'il a apprises lors des leçons de dressage afin qu'il ne donne pas d'ordres inconsidérés qui ne seraient d'ailleurs suivis d'aucun effet; l'Afghan sait quand un ordre est justement donné!

Ces leçons de dressage ne sont pas du temps perdu, et vous remarquerez que l'enfant apprend beaucoup de choses sur lui-même en vivant auprès de l'Afghan.

L'Afghan et les amis

Bien que l'Afghan soit le meilleur des chiens et qu'il adore son maître et affectionne sa famille, il n'en ira pas de même avec les étrangers qu'il n'a jamais rencontrés.

Vous ferez les présentations, et votre compagnon observera vos amis d'un air froid et distant, il se couchera dans un coin du salon et analysera le comportement de chacun de vos invités; il se pourrait bien qu'il ne se montre nullement amical au cours de cette première rencontre mais, avec le temps et après quelques visites, il décidera de donner son amitié à l'un ou à l'autre; pas à tous, non, il ne faut tout de même pas exagérer! Évidemment, ceux de vos amis qui seront acceptés par lui seront reçus avec joie et il montrera combien il est heureux de leur visite et... qu'il comprend qu'accessoirement ils s'adressent à son maître.

L'Afghan et les autres animaux

Peu à dire, sauf qu'il ne faudra jamais oublier que l'Afghan est un Lévrier et que, par conséquent, il ne fera pas bon ménage avec un lapin, par exemple. Il s'accordera fort bien par contre avec les autres chiens de la maisonnée. Ajoutons qu'il aime bien vivre en couple. Élevé avec un chat, il le considérera peut-être avec suspicion mais s'accommodera de lui sans histoire.

La reproduction

Les loups, parce qu'ils vivent entre eux, parviennent à garder leur race pure. Par contre les chiens, et parmi eux l'Afghan, astreints à rencontrer d'autres races canines au gré de leurs promenades, doivent être surveillés de près.

Vous devrez surveiller très attentivement les reproducteurs directs et tenir compte de leur généalogie, afin d'être certain d'assurer la continuité des caractéristiques anatomiques de la race et de rejeter les chiens qui présentent des défauts.

Il a souvent été affirmé qu'un premier accouplement avec un chien bâtard influence les mises bas suivantes, et que la chienne mettra à nouveau bas des bâtards même si elle est accouplée par la suite avec un Afghan de race pure. Cela n'est pas exact: aucune base scientifique ne vient prouver cette assertion qui ne repose que sur des croyances populaires.

Ce qui est vraiment problématique, c'est l'atavisme (l'hérédité éloignée). Il s'agit là d'un problème qui est pratiquement impossible à résoudre. En effet, même si l'on choisit très consciencieusement les reproducteurs, les chiots peuvent présenter des caractéristiques que l'on ne pouvait absolument pas prévoir. Ils peuvent n'avoir ni la même intelligence ni le même caractère que leurs parents sans qu'il soit possible d'en connaître les causes.

Il est donc nécessaire de bien connaître les antécédents d'un chien de race avant l'accouplement. On ne doit pas s'en tenir aux caractéristiques des parents mais essayer de remonter de quelques générations. Prenez un maximum de précautions tout en sachant que vous pourriez quand même avoir des surprises.

Par ailleurs, méfiez-vous d'une consanguinité excessive qui pourrait donner lieu à des phénomènes de dégénérescence.

En résumé, sachez qu'il serait dommage, sous prétexte qu'elle satisfasse ses instincts naturels, de laisser votre Afghane produire une nouvelle génération dans n'importe quelles conditions.

La présentation

La chienne a ses premières chaleurs entre huit et douze mois et elle atteint son aspect définitif d'adulte à environ dix mois. Mais il n'est pas bon de la laisser avoir une portée à cet âge, la consolidation de son squelette n'étant pas terminée. Il vaut donc mieux attendre ses deuxièmes chaleurs ou même ses troisièmes pour la «présenter» à un mâle.

Ses chaleurs reviennent, en général, tous les six mois. Ces périodes peuvent varier, légèrement, selon chaque chienne. Lorsque la vôtre sera en chaleur, elle deviendra nerveuse, boira plus que de coutume et perdra l'appétit; ses organes génitaux sécréteront un liquide un rien sanguinolent, à l'odeur très particulière, qui mettra le mâle à l'affût.

Certaines Afghanes peuvent refuser de s'accoupler avec un mâle. D'autres auront des préférences et peut-être même des exclusivités pour un certain mâle, qu'il soit de race ou bâtard. Dans ce cas, il faudra faire exciter la chienne par le prétendant qu'elle a choisi, avec toutes les précautions nécessaires pour éviter une saillie, et lui présenter aussitôt le mâle que vous aurez choisi en fonction de ses qualités. En général, la femelle tolère la présence du mâle une dizaine de jours après les premiers symptômes des chaleurs.

L'accouplement devra avoir lieu dans un endroit tranquille, dans l'intimité. Laissez faire la nature si l'accouplement se prolonge et n'essayez pas de les séparer; vous pourriez provoquer une déchirure du vagin.

Dès que votre Afghane est fécondée, ses chaleurs s'arrêtent. Si celles-ci devaient durer plus de deux jours après l'accouplement, essayez une deuxième saillie. Il est conseillé, si vous ne désirez pas que votre chienne soit fécondée, de lui administrer un contraceptif afin d'empêcher l'ovulation ou d'éviter les chaleurs. Demandez conseil à votre vétérinaire.

La période des chaleurs est assez longue, et vous devrez veiller à ce que la femelle ne s'accouple pas avec n'importe quel mâle. Il pourrait y avoir une fécondation supplémentaire, et votre chienne vous doterait d'une portée hétérogène si les pères n'étaient pas tous de la même race.

Si votre Afghane s'est accouplée avec un mâle «douteux», vous pouvez éviter la fécondation en lui injectant dans le vagin de l'eau vinaigrée, à raison de 25 ml (5 c. à thé) de vinaigre pur par litre (pinte) d'eau.

Le sort peut faire que votre chienne soit totalement indocile: il deviendra alors nécessaire de pratiquer l'insémination artificielle. Il s'agit d'un procédé très simple qui peut être pratiqué par votre vétérinaire. Cette insémination artificielle est, en général, une réussite complète.

La gestation

Si tout s'est déroulé normalement lors de la «présentation», il ne vous reste plus qu'à attendre, en laissant faire la nature. Sauf complications exceptionnelles, la grossesse suivra son cours normal. Elle dure, chez l'Afghane, de soixante-deux à soixante-quatre jours, soit environ neuf semaines.

La grossesse pourrait s'interrompre entre le cinquante-huitième et le soixante-cinquième jour selon l'âge de la mère, son mode de vie, sa santé et le nombre de chiots de sa portée. La maternité est une période particulière dans la vie de l'Afghane. Les premiers symptômes se manifesteront d'un mois à cinq semaines après l'accouplement. Avant cette période, il est difficile d'établir s'il y a eu fécondation.

Mais si vous observez bien votre chienne, il y a des signes qui ne trompent pas. Elle commencera par se désintéresser de sa nourriture: elle manquera d'appétit. Elle aura des nausées suivies de vomissements. Son comportement sera instable. La nuit, elle rêvera ou fera des cauchemars qui la feront gémir comme si elle appréhendait quelque chose, comme si elle avait peur. Sa façon d'agir, ses manières se transformeront de façon de plus en plus évidente à mesure que la chienne avancera dans sa grossesse.

Si vous désirez absolument savoir si votre chienne a été fécondée, procédez à un test chimique qui a pour but de vérifier le fonctionnement hormonal, semblable à celui de Friedman sur les lapines. Mais même si le résultat est positif, rien n'est encore certain, car il peut s'agir d'un cas de grossesse nerveuse.

Votre bon sens vous fera comprendre ce que la chienne doit ou ne doit pas faire pendant son état gravide (grossesse). Évitez de la fatiguer et faites cesser tous les exercices violents auxquels elle est habituée. Plus de sauts, plus de courses excessives, mais ne négligez pas les promenades quotidiennes qui maintiendront la chienne en forme sans pour autant la fatiguer ou la surmener. Ces promenades sont essentielles pour votre Afghan.

Au fur et à mesure que les foetus se développeront, la chienne grossira et deviendra paresseuse; elle sera fatiguée et voudra s'étendre de plus en plus souvent. Ne la dérangez pas, laissez-la faire, mais n'oubliez pas ses promenades. Vous observerez un affaissement de la région lombaire et un développement tout à fait normal des mamelles. Son ventre grossira progressivement. Votre chienne aura besoin de votre affection, de votre attention et de votre compréhension; soyez patient avec elle et fermez les yeux si elle est désobéissante. Pas de sévérité mais de la gentillesse, et, surtout, ne la laissez pas trop souvent seule: elle a besoin de se sentir entourée «des siens». Veillez avec encore plus d'attention et de soin à sa propreté. Prenez garde aux parasites comme les poux par exemple. Pendant l'hiver, sortez-la le moins possible et protégez-la au maximum, à l'intérieur de la maison, du froid et de l'humidité.

Occupez-vous d'elle mais dans les limites du raisonnable: il ne faut pas faire d'elle une chienne trop gâtée alors qu'elle peut très bien surmonter certaines difficultés. N'oubliez pas que la nature a fourni à votre chienne tous les moyens pour mener sa grossesse à terme sans grands problèmes. Soyez présent, mais ne soyez pas trop faible avec elle; aidez-la, mais laissez faire la nature.

Pendant sa grossesse, il faudra faire très attention à son alimentation. Les aliments devront être plus riches afin de compenser l'accroissement de ses besoins. Augmentez le nombre de ses repas tout en en réduisant la quantité. Les deux repas traditionnels que l'on donne normalement à un Afghan ne sont pas de mise pendant la grossesse. Un repas trop copieux pourrait peser sur ses flancs qui sont déjà alourdis par le gonflement des mamelles et par la présence des futurs bébés. Augmentez la quantité de lait jusqu'à un litre (une pinte) par jour. Donnez-lui du lait entier. Son régime devra être composé de riz, de légumes verts et de viande fraîche; ajoutez, une fois par semaine, un oeuf entier et deux jaunes d'oeufs. Trois ou quatre repas quotidiens remplaceront donc les deux repas habituels. Vous les compléterez avec de la farine lactée, de la poudre d'os, du calcium et du phosphore.

Vous devrez faire attention à ce que l'eau de son écuelle soit changée souvent et reste bien propre. Cette eau ne devra jamais être ni trop froide ni trop chaude; la chienne appréciera l'eau propre et tiède.

Vous pouvez provoquer des difficultés lors de la mise bas si vous lui donnez une alimentation trop grasse et trop copieuse. Ajoutez au régime de votre chienne des substances destinées à fortifier les os des chiots et à raffermir ceux de la mère. Si votre Afghane montre un manque d'appétit persistant, adressez-vous sans tarder à votre vétérinaire; il vous indiquera ce qu'il y a lieu de faire.

Vous remarquerez, au fur et à mesure de l'évolution de sa grossesse, que votre chienne ne voudra plus être dérangée par des inconnus ou d'autres chiens.

Une quinzaine de jours avant la fin de la gestation, vous devrez trouver un endroit où elle mettra bas. Préparez-lui sa couche. N'attendez pas trop; habituez la chienne à sa nouvelle demeure. Elle n'en cherchera pas d'autre, si vous vous y prenez à temps. Habituez-la à y prendre ses repas; qu'elle s'y repose le jour et la nuit. Veillez à ce que cet endroit soit tranquille et pas trop clair. La couche doit être légèrement surélevée afin de faciliter l'écoulement des liquides. Un simple panier à chien fera l'affaire.

Emmenez votre chienne plusieurs fois chez le vétérinaire de manière à faire vérifier son poids, son état de santé et ses besoins en vitamines et en calcium.

La naissance

Tout à la fin de la grossesse, les mamelles gonflées de votre chienne sécréteront un liquide semblable à du lait, le colostrum. Elle deviendra inquiète et préférera rester seule. La tranquillité et le silence lui seront nécessaires et bénéfiques. Les visites d'amis devront être évitées, et la «future maman» ne devra pas s'apercevoir de votre surveillance. Ne vous approchez pas trop d'elle.

Surveillez le déroulement de l'opération et, en cas de complications, n'hésitez pas à appeler immédiatement votre vétérinaire. Lui seul a la compétence pour apporter les solutions appropriées.

La première mise bas est, en général, plus délicate que les suivantes. Il arrive parfois, et surtout la première fois, que votre chienne oublie ou néglige de couper le cordon ombilical avec ses dents. Vous devrez alors intervenir en le coupant avec des ciseaux, le plus près possible du ventre, après l'avoir lié avec un fil de soie pour éviter que le chiot ne soit victime d'une hémorragie.

Comme vous avez pu le constater, votre présence est nécessaire pendant la mise bas de la chienne, même si vous laissez faire la nature. Ne l'énervez surtout pas et ne la dérangez qu'en cas de besoin réel.

Lorsqu'elle aura mis bas, laissez votre chienne se reposer et faire la toilette complète des chiots. En hiver, pensez à chauffer «son coin» afin qu'il soit bien confortable pour elle et les nouveau-nés. Laissez-la se reposer une journée auprès de ses petits, puis faites-lui reprendre progressivement son rythme de vie antérieur. Commencez par lui faire faire une promenade afin qu'elle fasse travailler ses muscles.

Les chiots

Lors de la première mise bas, la portée est de six à huit chiots. Les petits chiens naissent aveugles et les yeux fermés. Vous devrez attendre une dizaine de jours avant qu'ils ne soulèvent les paupières.

Vous devrez malheureusement sacrifier certains des chiots. À la première mise bas, la mère ne pourra s'occuper que de trois chiots. Éloignez définitivement de la mère les chiots les moins bien formés et ceux qui ont l'air apathiques. Ce sacrifice, bien que très pénible, est absolument nécessaire pour la santé de la mère et pour la qualité de la portée. Les grossesses suivantes vous permettront peut-être de garder toute la portée. Mais, là encore, ne gardez pas les chiots manifestement mal formés; éliminez-les immédiatement.

Pratiquer l'euthanasie vous sera probablement pénible: demandez plutôt à votre vétérinaire de s'en occuper. La meilleur façon demeure l'injection d'un anesthésique très puissant; ainsi l'intervention sera rapide et indolore. Ne choisissez pas la noyade, il s'agit là d'une méthode cruelle et barbare.

Vous devrez retirer les chiots sacrifiés pendant que la mère fera sa promenade.

La chienne s'occupera elle-même de ses petits, mais soyez toujours aux aguets pour être prêt à intervenir pour l'aider, surtout s'il s'agit d'une première portée.

L'allaitement

Les chiots trouveront d'instinct les mamelles sous le ventre de leur mère: elles sont très saillantes. Seul le lait maternel convient aux besoins nutritifs des bébés chiens. Le colostrum purgera les chiots et sera pour la chienne le moyen de transmettre à ses chiots ses anticorps naturels qui les protégeront contre les maladies des «premiers jours».

Ce colostrum est indispensable aux chiots: les statistiques révèlent qu'environ 85 p. 100 des nouveau-nés qui n'ont pas, pour une raison quelconque, reçu de colostrum meurent rapidement.

Il se pourrait que la chienne soit intolérante avec ses petits, ce qui pourrait gêner leur croissance. Dans ce cas, consultez votre vétérinaire qui prescrira de légers calmants, cette intolérance étant due à une hyper-nervosité. Si l'intolérance se transforme en aversion déclarée, vous devrez alimenter les chiots artificiellement. Ce n'est que dans ce cas, ou dans celui, bien sûr, d'une mauvaise lactation, que vous pouvez alimenter les chiots. Ce n'est pas facile et rien ne dit que vous y parviendrez. Vous devrez préparer un lait ressemblant au lait maternel, sinon les bébés, désorientés, le refuseront. Le poids du petit double normalement en moins de dix jours, preuve de la richesse du lait maternel. Faites-vous conseiller par votre vétérinaire. Il vous indiquera peut-être une préparation que vous trouverez toute faite sur le marché ou il en composera une lui-même. Quoi qu'il décide, suivez ses directives.

Le sevrage

La période de sevrage se déroule progressivement. Elle correspond à peu près à la fin de l'allaitement, qui devient de plus en plus douloureux pour la chienne parce que les bébés commencent à avoir des dents de lait. La mère devient impatiente quand les petits viennent se nourrir. Elle commence à les éduquer elle-même en leur présentant sa propre nourriture que les chiots essaient de laper.

Cette période est psychiquement difficile pour les chiots: ils commencent le dur apprentissage de la séparation d'avec la mère. Ce passage à la vie adulte devra se faire dans les meilleures conditions possibles. Le sevrage complet se fait à l'âge de deux mois et demi ou trois mois.

Trouvez le moyen de séparer les chiots de la mère durant une partie de la journée afin que leur instinct de téter diminue. Si les petits rencontrent la mère seulement aux repas, cela leur permettra de prendre des habitudes bien réglées.

Offrez aux chiots des jouets non toxiques pour qu'ils puissent mordre dedans. Commencez par leur donner de la viande hachée afin qu'ils s'habituent à manger des aliments solides. Ne leur donnez surtout pas de lait de vache. Les petits Afghans ont tendance à se gaver; ne les laissez pas faire; la digestion à cet âge est encore délicate; vous leur éviterez ainsi les ennuis gastriques.

N'oubliez pas de bien les garder au chaud. Il ne faudrait surtout pas qu'ils prennent froid; évitez de les placer ou de les laisser dans les courants d'air.

Le pense-bête

Le Lévrier afghan possède un caractère affectueux qui en fait un excellent chien de compagnie.

Le carnet de santé

Il est indispensable de tenir à jour le carnet de santé de votre Afghan. Ce carnet est généralement remis par votre vétérinaire.

Que devez-vous y inscrire? Les dates importantes de la vie de votre Afghan:

- la date de naissance de votre Afghan et celle de ses parents
- la date des vaccinations;
- la date des rappels;
- la date des maladies (ainsi que le nom des médicaments reçus);
- la date du dressage;
- la date des saillies, des mise bas et de l'allaitement.

L'Afghan est un chien plein de vivacité qui sait être un compagnon parfaitement calme.

La boîte de médicaments

Il est très important d'avoir toujours sous la main une boîte de médicaments que vous gardez bien fermée. N'oubliez pas de l'emporter avec vous lorsque vous emmenez votre chien en voyage.

Cette boîte de médicaments devrait contenir:
- un thermomètre anal et un lubrifiant;
- du sparadrap et de la gaze pour les bandages;
- un médicament contre les brûlures qui vous aura été prescrit par votre vétérinaire;
- de l'acide borique ou du collyre pour les bains oculaires;
- du kaopectate contre la diarrhée;
- des sels d'ammoniaque pour le traitement des chocs;
- de la poudre de moutarde ou du sel de table comme émétique;
- du charbon de bois actif comme contrepoison (mais, le cas échéant, appelez aussitôt que pos-

sible un vétérinaire);
- un laxatif assez léger comme le lait de magnésie.

Le voyage

Vous planifiez un voyage, et vous voilà en train de discuter avec vos proches des difficultés reliées à la présence de votre Afghan. Vous vous trouvez devant plusieurs possibilités: la première serait de le laisser sur place, et vous auriez alors à décider entre le laisser à la maison, le laisser chez des amis ou le mettre en pension; la deuxième possibilité serait de l'emmener avec vous, et vous auriez à décider du moyen de transport: voiture, train, autobus, bateau ou avion.

Quelle que soit votre décision, sachez qu'il est préférable de laisser le chien à la maison sous la garde d'amis: nous vous rappelons qu'il vaut mieux que ce soient des gens qu'il connaît parfaitement. Si vous décidez de le mettre en pension, il vaut mieux que ce ne soit que pour quelques jours et après lui avoir fait connaître les lieux et les propriétaires avec lesquels il sera en contact journalier.

Vous le laissez à la maison

La personne qui viendra s'occuper de votre Afghan devra être quelqu'un que votre compagnon connaît bien. Elle devra, évidemment, dormir chez vous. Mais il ne faudra pas s'étonner que votre chien, se croyant abandonné par son maître, manifeste sa mauvaise humeur en se soulageant un peu partout dans la maison au lieu de faire ses besoins là où il en a l'habitude. Vous devrez prendre cette décision en tenant compte du caractère de l'animal et de ses relations avec la personne qui viendra s'occuper de lui.

Vous le laissez chez des amis

Dans ce cas également, il faudra que l'animal connaisse parfaitement les personnes qui vont l'héberger. Vous devrez apporter dans sa demeure provisoire des objets qui ont gardé vos odeurs, qui lui sont familières, ainsi que ses jouets préférés. Il serait bon de l'y emmener «en visite» plusieurs fois avant de l'y laisser. Quoi qu'il en soit, que vous le laissiez à la maison ou que vous le laissiez chez des amis, il est recommandé que ce ne soit pas pour une trop longue période: votre Afghan vous en voudrait. Prévenez vos amis que le chien pourrait faire ses besoins un peu partout pour montrer qu'il n'aime pas être éloigné de son maître.

Vous le mettez en pension

Visitez plusieurs pensions avant de prendre une décision. Assurez-vous que les animaux n'y sont pas trop nombreux. Visitez les locaux afin de vérifier s'ils sont propres. Observez le travail du personnel. Contrôlez la qualité de la nourriture. Le prix est également à considérer, mais vous devez tenir compte du fait que ce ne sont pas toujours les pensions les plus coûteuses qui sont les meilleures. Renseignez-vous auprès de la direction pour savoir si les visites d'un vétérinaire sont prévues. Demandez à des amis qui ont aussi des chiens quelles ont été leur bonnes ou mauvaises expériences.

Avant de décider, consultez, en dernier ressort, votre vétérinaire attitré; d'ailleurs, s'il habite hors de la ville, il pourrait peut-être vous proposer d'héberger votre Afghan. Vous aurez à présenter le carnet de vaccination qui devra être à jour et cela dans quelque pension que ce soit. Pour votre tranquillité, faites passer un examen général à votre animal chez votre vétérinaire avant de le mettre en pension. Assurez-le et, s'il ne l'est pas déjà, faites-le tatouer: il pourra ainsi toujours être identifié s'il s'échappe ou se perd.

Vous l'emmenez avec vous

C'est décidé, il vous accompagne. Vous voyagerez en voiture, en train, en autobus, en bateau ou en avion.

En voiture

Votre Afghan devra voyager à l'arrière de la voiture et être isolé par un filet ou un grillage.

Ne l'enfermez jamais dans le coffre de la voiture, il en souffrirait, autant physiquement que moralement, vous devriez d'ailleurs avoir un coffre d'une dimension appréciable... Si vous emmenez un chiot, il se pourrait qu'il soit sujet à des vomissements. Ne le laissez pas voyager le ventre plein; faites en sorte qu'il ait bien digéré au moment du départ. Il est également préférable de ne pas lui donner à boire avant de partir.

Si votre animal est sujet au mal de voiture, vous pouvez lui donner un médicament une demi-heure avant le départ. Consultez votre vétérinaire.

Le chien aime passer la tête par la vitre; ne le laissez pas faire: il risque une conjonctivite.

Vous devrez vous arrêter souvent pour qu'il puisse faire ses besoins et se «dégourdir» les jambes. Arrêtez-vous à l'écart de la route afin qu'il puisse courir sans danger.

Si vous laissez votre Afghan dans la voiture, stationnez-la à l'ombre et laissez les vitres entrouvertes.

En train

Votre Afghan n'a pas le droit de vous accompagner dans votre compartiment. Il devra voyager dans la voiture à bagages. Vous devrez le mettre dans une cage ou, du moins, lui mettre une muselière et une laisse. Vous aurez un coupon spécial qui vous permettra, à tout moment, de lui rendre visite et de le nourrir. La compagnie de chemin de fer met à la disposition des animaux le nécessaire afin qu'ils puissent faire leurs besoins.

En autobus

Avant de partir en voyage, renseignez-vous bien pour savoir si la compagnie de transport accepte les grands chiens et dans quelles conditions. Insistez, pour ne pas avoir de mauvaises surprises lors du départ, sur le poids et la taille de votre compagnon.

En bateau

Mêmes dispositions que pour l'autobus. Ayez toujours sur vous un certificat de bonne santé de votre animal. Il est préférable que ce certificat soit récent.

En avion

Pratiquement toutes les compagnies aériennes acceptent de transporter les animaux domestiques. Prenez-vous-y à temps, les places sont limitées. Les chiots peuvent parfois voyager en cabine avec leur maître, mais cela n'est pas une règle générale: renseignez-vous avant de partir. Généralement, l'Afghan doit voyager dans la soute de l'avion. Ne vous inquiétez pas, la soute est climatisée et pressurisée. Demandez à votre vétérinaire un cachet que vous administrerez au chien juste avant le départ afin qu'il reste calme et somnolent. Certains vétérinaires préfèrent donner une piqûre dont l'effet dure plus longtemps. Il est conseillé de libérer rapidement votre animal de la consigne à l'arrivée; son voyage n'aura pas été aussi confortable que le vôtre.

Les déplacements en ville

Dans le métro, à Montréal, vous n'êtes pas autorisé à voyager avec votre chien; seuls les aveugles y sont autorisés. Dans les autobus, les règlements sont plus souples: il est permis de voyager avec un chiot que vous pouvez tenir sur vos genoux; mais seuls les aveugles ont la permission d'être accompagnés d'un chien adulte.

Il n'existe pas de règlement spécifique à Montréal en ce qui concerne la prise en charge des chiens dans les taxis. La plupart des chauffeurs les acceptent... sauf ceux qui en ont peur!

À l'étranger

Les lois concernant le passage des frontières pour les animaux dépendent de la législation de chaque pays, lois qui peuvent changer. Soyez en règle, sinon on pourrait vous en refuser l'accès.

Avant de partir, renseignez-vous auprès du consulat du pays où vous désirez vous rendre ou munissez-vous des brochures disponibles dans les agences de voyages. Plusieurs pays, et plus particulièrement ceux du Commonwealth britannique, vous obligeront à mettre votre Afghan, dès l'arrivée, en quarantaine; d'autres pays vous demanderont de présenter un certificat de vaccination antirabique ou de bonne santé, ou les deux.

Quelques exemples: les *États-Unis* ne vous demandent qu'un certificat de vaccination antirabique délivré plus de trente jours et moins d'un an avant votre passage de la frontière; ils peuvent également imposer une visite sanitaire au port d'arrivée. Pour la *Grande-Bretagne*, les instructions sont sévères: l'Afghan doit être muni d'un certificat de bonne santé et il sera mis en quarantaine pendant six mois. Il en est de même pour l'*Afrique du Sud*, *Gibraltar* et *Hong-Kong*. L'*Australie* refuse l'entrée à tout animal domestique. Pour la *France* et la *Belgique*, seul le certificat de vaccination antirabique est demandé. En *Italie*, les deux certificats sont exigés, comme d'ailleurs en *Israël*, en *Argentine*, au *Brésil,* au *Danemark*, en *Égypte*, en *Espagne*, en *Grèce*, en *Hongrie*, au *Mexique* et en *Tunisie*. En *Allemagne fédérale*, on ne demande que le certificat de bonne santé.

Votre Afghan voyage seul

Vous avez seulement à présenter votre chien un bon moment avant le départ, et surtout à être certain que la personne qui doit accueillir votre compagnon sera présente à l'arrivée. À toutes fins utiles, donnez l'adresse et le numéro de téléphone de cette personne au transporteur.

Petit lexique d'urgence

Il se pourrait que vous vous trouviez dans un pays non francophone et que vous ayez à demander des renseignements au bénéfice de votre compagnon. Voici quelques phrases indispensables.

Où habite le vétérinaire le plus proche?

Anglais: Do you know where I can find a vet for my dog?

Espagnol: ¿Donde vive el veterinario más próximo?

Italien: Dove abita il veterinario piu vicino?

Allemand: Wo kann ich schnelsten einen Tierartz finden?

Où se trouve la clinique vétérinaire la plus proche? C'est urgent.

Anglais: Where's the nearest veterinary surgery? It's an emergency.

Espagnol: ¿Donde hay una clínica para los animales próxima de aquí? Es muy urgente.

Italien: Dove si trova la clinica veterinaria più vicina? E urgente.

Allemand: Wo finde ich die nächste Tierarzklinik? Es ist dringlich.

Y a-t-il une permanence vétérinaire la nuit? Le dimanche?

Anglais: Is the veterinary surgery open all night and on Sundays?

Espagnol: ¿Es abierta permanentemente la clínica durante la noche y los domingos?

Italien: La domenica, c'e una permanenza veterinaria di notte?

Allemand: Gibt es dort Einen Nachtdienst, und einen Sonntagsdienst?

Cet hôtel, ce restaurant accepte-t-il les chiens? Y a-t-il des repas prévus pour eux?

Anglais: May I stay in this hotel, in this restaurant, with my dog? Do you feed dogs in this hotel? In this restaurant?

Espagnol: ¿Están autorizados los perros en este hotél o en este restaurante? ¿Hay comidas previstas para ellos?

Italien: Questo hotel, questo ristorante, acceta i cani? Sono previsti dei pasti anche per loro?

Allemand: Sind Hunde in diesem Hotel, in diesem Restaurant erlaubt? Werden die Hunde auch dort gefuttert?

J'ai égaré mon chien. Où puis-je m'adresser pour le retrouver?

Anglais: I lost my dog. Where should I call to get him back?

Espagnol: He perdido mi perro. ¿Donde puedo dirigirme para encontrarlo?

Italien: Ho perso il mio cane. Dove posso rivolgermi?

Allemand: Ich habe meinem Hund verloren. Wo soll ich mich melden, um ihn wiederzufinden?

Attention à mon chien, il n'aime pas qu'on le caresse.

Anglais: Beware of my dog, he doesn't like being petted.

Espagnol: ¡Atención! Tenga cuidado que mi perro no quiere que nadie le acaricie.

Italien: Attenzione al mio cane, non ama essere accarezzato.

Allemand: Passen sie auf! Mein Hund mag es nicht wenn man ihn streichelt.

Vendez-vous des aliments pour chien? Où puis-je en trouver?

Anglais: Do you sell pet food? Where can I find some pet food?

Espagnol:	¿Tiene ustéd alimentos para perros en su tienda? ¿Donde se pueden hallar esos alimentos?
Italien:	Vendete gli alimenti per cani? Dove posso trovarne?
Allemand:	Führen Sie auch Futtermittel für Hunde, und wenn nicht, wo kann ich welch bekommen?

Table des matières

À PARAÎTRE:

Vous et votre Danois
Vous et votre Shih-tzu
Vous et votre Golden retriever
Vous et votre Terre-Neuve

DÉJÀ PARUS:

Vous et vos oiseaux de compagnie
Vous et vos poissons d'aquarium
Vous et votre Berger allemand
Vous et votre Caniche
Vous et votre chat de gouttière
Vous et votre Chow-chow
Vous et votre Husky
Vous et votre Labrador
Vous et votre Boxer
Vous et votre Doberman
Vous et votre Persan
Vous et votre Setter anglais
Vous et votre Siamois
Vous et votre Yorkshire
Vous et votre Fox-terrier
Vous et votre Schnauzer
Vous et votre Collie
Vous et votre petit rongeur
Vous et votre Dalmatien
Vous et votre Teckel
Vous et votre Beagle
Vous et votre Cocker américain
Vous et votre chat tigré
Vous et votre Chihuahua
Vous et votre Lhassa Apso

Ouvrages parus chez les éditeurs du groupe Sogides

* Pour l'Amérique du Nord Seulement
** Pour l'Europe seulement
Sans * pour l'Europe et l'Amérique du Nord

══ ANIMAUX ══

* **Art du dressage, L'**, Chartier Gilles
Bien nourrir son chat, D'Orangeville Christianz
Cheval, Le, Leblanc Michel
Chien dans votre vie, Le, Swan Marguerite
Éducation du chien de 0 à 6 mois, L', DeBuyser Dr Colette et Dr Dehasse Joël
Encyclopédie des oiseaux, Godfrey W. Earl
Guide de l'oiseau de compagnie, Le, Dr R. Dean Axelson
Mammifère de mon pays, Duchesnay St-Denis J. et Dumais Rolland
* **Mon chat, le soigner, le guérir,** D'Orangeville Christian
Observations sur les mammifères, Provencher Paul
Papillons du Québec, Les, Veilleux Christian et Prévost Bernard
Petite ferme, T.1,
Les animaux, Trait Jean-Claude
Vous et vos petits rongeurs, Eylat Martin
Vous et vos poissons d'aquarium, Ganiel Sonia
Vous et votre beagle, Eylat Martin

Vous et votre berger allemand, Eylat Martin
Vous et votre boxer, Herriot Sylvain
Vous et votre braque allemand, Eylat Martin
Vous et votre caniche, Shira Sav
Vous et votre chat de gouttière, Gadi Sol
Vous et votre chat tigré, Eylat Odette
Vous et votre chow-chow, Pierre Boistel
Vous et votre collie, Ethier Léon
Vous et votre cocker américain, Eylat Martin
Vous et votre dalmatien, Eylat Martin
Vous et votre doberman, Denis Paula
Vous et votre fox-terrier, Eylat Martin
Vous et votre husky, Eylat Martin
Vous et vos oiseaux de compagnie, Huard-Viau Jacqueline
Vous et votre schnauzer, Eylat Martin
Vous et votre setter anglais, Eylat Martin
Vous et votre siamois, Eylat Odette
Vous et votre teckel, Boistel Pierre
Vous et votre yorkshire, Larochelle Sandra

1

ARTISANAT/ARTS MÉNAGERS

Appareils électro-ménagers, Prentice-Hall du Canada
* **Art du pliage du papier**, Harbin Robert
Artisanat québécois, T.1, Simard Cyril
Artisanat québécois, T.2, Simard Cyril
Artisanat québécois, T.3, Simard Cyril
Artisanat québécois, T.4, Simard Cyril, Bouchard Jean-Louis
Bon Fignolage, Le, Arvisais Dolorès A.
Coffret artisanat, Simard Cyril
* **Construire des cabanes d'oiseaux**, Dion André
Construire sa maison en bois rustique, Mann D. et Skinulis R.
Crochet Jacquard, Le, Thérien Brigitte
Cuir, Le, Saint-Hilaire Louis et Vogt Walter
Dentelle, T.1, La, De Seve Andrée-Anne
Dentelle, T.2, La, De Seve Andrée-Anne
Dessiner et aménager son terrain, Prentice-Hall du Canada
Encyclopédie de la maison québécoise, Lessard Michel

Encyclopédie des antiquités, Lessard Michel
Entretien et réparation de la maison, Prentice-Hall du Canada
Guide du chauffage au bois, Flager Gordon
J'apprends à dessiner, Nassh Joanna
Je décore avec des fleurs, Bassili Mimi
J'isole mieux, Eakes Jon
Mécanique de mon auto, La, Time-Life
Outils manuels, Les, Prentice Hall du Canada
Petits appareils électriques, Prentice-Hall du Canada
Piscines, Barbecues et patio
Taxidermie, La, Labrie Jean
Terre cuite, Fortier Robert
Tissage, Le, Grisé-Allard Jeanne et Galarneau Germaine
Tout sur le macramé, Harvey Virginia L.
Trucs ménagers, Godin Lucille
Vitrail, Le, Bettinger Claude

ART CULINAIRE

À table avec soeur Angèle, Soeur Angèle
Art d'apprêter les restes, L', Lapointe Suzanne
Art de la cuisine chinoise, L', Chan Stella
Art de la table, L', Du Coffre Marguerite
Barbecue, Le, Dard Patrice
Bien manger à bon compte, Gauvin Jocelyne
Boîte à lunch, La, Lambert Lagacé Louise
Brunches & petits déjeuners en fête, Bergeron Yolande
100 recettes de pain faciles à réaliser, Saint-Pierre Angéline
Cheddar, Le, Clubb Angela
Cocktails & punchs au vin, Poister John
Cocktails de Jacques Normand, Normand Jacques
Coffret la cuisine
Confitures, Les, Godard Misette
Congélation de A à Z, La, Hood Joan
Congélation des aliments, Lapointe Suzanne
Conserves, Les, Sansregret Berthe
Cornichons, Ketchups et Marinades,Chesman Andrea
Cuisine au wok, Solomon Charmaine
Cuisine aux micro-ondes 1 et 2 portions, Marchand Marie-Paul
Cuisine chinoise, La, Gervais Lizette
* **Cuisine chinoise traditionnelle, La**, Chen Jean
* **Cuisine créative Campbell, La**, Cie Campbell
Cuisine de Pol Martin, Martin Pol
* **Cuisine du monde entier avec Weight Watchers**, Weight Watchers
Cuisine facile aux micro-ondes, Saint-Amour Pauline
Cuisine joyeuse de soeur Angèle, La, Soeur Angèle
Cuisine micro-ondes, La, Benoît Jehane
Cuisine santé pour les aînés, Hunter Denyse

Cuisiner avec le four à convection, Benoît Jehane
* **Cuisiner avec les champignons sauvages du Québec**, Leclerc Claire L.
Cuisinez selon le régime Scarsdale, Corlin Judith
Cuisinier chasseur, Le, Hugueney Gérard
Entrées chaudes et froides, Dard Patrice
Faire son pain soi-même, Murray Gill Janice
Faire son vin soi-même, Beaucage André
Fine cuisine aux micro-ondes, La, Dard Patrice
Fondues & flambées de maman Lapointe, Lapointe Suzanne
Fondues, Les, Dard Partice
Menus pour recevoir, Letellier Julien
Muffins, Les, Clubb Angela
Nouvelle cuisine micro-ondes, La, Marchand Marie-Paul et Grenier Nicole
Nouvelle cuisine micro-ondes II, La, Marchand Marie-Paul et Grenier Nicole
Pâtés à toutes les sauces, Les, Lapointe Lucette
Pâtés et galantines, Dard Patrice
Pâtisserie, La, Bellot Maurice-Marie
Poissons et fruits de mer, Dard Patrice
Poissons et fruits de mer, Sansregret Berthe
Recettes au blender, Huot Juliette
Recettes canadiennes de Laura Secord, Canadian Home Economics Association
Recettes de gibier, Lapointe Suzanne
Recettes de maman Lapointe, Les, Lapointe Suzanne
Recettes Molson, Beaulieu Marcel
Robot culinaire, Le, Martin Pol
Salades des 4 saisons et leurs vinaigrettes, Dard Patrice
Salades, sandwichs, hors d'oeuvre, Martin Pol
Soupes, potages et veloutés, Dard Patrice

BIOGRAPHIES POPULAIRES

Daniel Johnson, T.1, Godin Pierre
Daniel Johnson, T.2, Godin Pierre
Daniel Johnson - Coffret, Godin Pierre
Dans la fosse aux lions, Chrétien Jean
* Dans la tempête, Lachance Micheline
Duplessis, T.1 - L'ascension, Black Conrad
Duplessis, T.2 - Le pouvoir, Black Conrad
Duplessis - Coffret, Black Conrad
Dynastie des Bronfman, La, Newman Peter C.
Establishment canadien, L', Newman Peter C.
* Léonard de Vinci, L'homme et son temps, Alberti de
  Mazzeri Sylvia
* Maître de l'orchestre, Le, Nicholson Georges

Maurice Richard, Pellerin Jean
* Monopole, Le, Francis Diane
Mulroney, Macdonald L.I.
Nouveaux Riches, Les, Newman Peter C.
* Paul Desmarais , Un homme et son empire, Greber
  Dave
Prince de l'Église, Le, Lachance Micheline
Saga des Molson, La, Woods Shirley
Sous les arches de McDonald's, Love John F.
* Trétiak, entre Moscou et Montréal, Trétiak Vladislav
* Une femme au sommet - Son excellence Jeanne
  Sauvé, Woods Shirley E.

DIÉTÉTIQUE

Combler ses besoins en calcium, Hunter Denyse
* Compte-calories, Le, Brault-Dubuc M., Caron
  Lahaie L.
Contrôlez votre poids, Ostiguy Dr Jean-Paul
* Cuisine sage, Lambert-Lagacé Louise
* Diète rotation, La, Katahn Dr Martin
Diététique dans la vie quotidienne, Lambert-Lagacé
  Louise
Livre des vitamines, Le, Mervyn Leonard
* Maigrir en santé, Hunter Denyse
* Menu de santé, Lambert-Lagacé Louise
Oubliez vos allergies, et... bon appétit, Association
  de l'information sur les allergies
Petite & grande cuisine végétarienne, Bédard
  Manon

* Plan d'attaque Weight Watchers, Le, Nidetch Jean
Plan d'attaque plus Weight Watchers, Le, Nidetch
  Jean
Recettes pour aider à maigrir, Ostiguy Dr Jean-Paul
* Régimes pour maigrir, Beaudoin Marie-Josée
Sage bouffe de 2 à 6 ans, La, Lambert-Lagacé
  Louise
Weight Watchers - cuisine rapide et savoureuse,
  Weight Watchers
Weight Watchers-Agenda 85 -Français, Weight
  Watchers
Weight Watchers-Agenda 85 -Anglais, Weight
  Watchers

DIVERS

* Acheter ou vendre sa maison, Brisebois Lucille
* Acheter et vendre sa maison ou son condominium,
  Brisebois Lucille
* Acheter une franchise, Levasseur Pierre
* Assemblés délibérantes, Les, Girard Françine,
* Bourse, La, Brown Mark
* Chaînes stéréophoniques, Les, Poirier Gilles
* Choix de carrières, T.1, Milot Guy
* Choix de carrières, T.2, Milot Guy
* Choix de carrières, T.3, Milot Guy
* Comment rédiger son curriculum vitae, Brazeau
  Julie
* Comprendre le marketing, Levasseur Pierre
Conseils aux inventeurs, Robic Raymond
* Devenir exportateur, Levasseur Pierre
* Dictionnaire économique et financier, Lafond
  Eugène
Étiquette des affaires, L', Jankovic Elena
* Faire son testament soi-même, Me Poirier Gérald,
  Lescault Nadeau Martine (notaire)
* Faites fructifier votre argent, Zimmer Henri B.
Finances, Les, Hutzler Laurie H.
* Gérer ses ressources humaines, Levasseur Pierre
* Gestionnaire, Le, Colwell Marian
* Guide de la haute-fidélité, Le, Prin Michel
* Je cherche un emploi, Brazeau Julie
* Lancer son entreprise, Levasseur Pierre

Leadership, Le, Cribbin, James J.
Livre de l'étiquette, Le, Du Coffre Marguerite
* Loi et vos droits, La, Marchand Me Paul-Émile
Meeting, Le, Holland Gary
Mémo, Le, Reimold Cheryl
Notre mariage (étiquette et planification), Du
  Coffre Marguerite
Patron, Le, Reimold Cheryl
Relations publiques, Les, Doin Richard, Lamarre
  Daniel
* Règles d'or de la vente, Les, Kahn George N.
* Roulez sans vous faire rouler, T.3, Edmonston
  Philippe
Savoir vivre aujourd'hui, Fortin Jacques Marcelle
Séjour dans les auberges du Québec, Cazelais
  Normand et Coulon Jacques
Stratégies de placements, Nadeau Nicole
Temps des fêtes au Québec, Le, Montpetit Raymond
Tenir maison, Gaudet-Smet Françoise
* Tout ce que vous devez savoir sur le condominium,
  Dubois Robert
Univers de l'astronomie, L', Tocquet Robert
Vente, La, Hopkins Tom
* Votre argent, Dubois Robert
Votre système vidéo, Boisvert Michel et Lafrance
  André A.
* Week-end à New York, Tavernier-Cartier Lise

3

ENFANCE

ÉSOTÉRISME

HISTOIRE

INFORMATIQUE

JARDINAGE

Culture des fleurs, des fruits, Prentice-Hall du Canada
Encyclopédie du jardinier, Perron W.H.
Guide complet du jardinage, Wilson Charles
* **J'aime les rosiers,** Pronovost René
J'aime les violettes africaines, Davidson Robert

Petite ferme, T. 2 - Jardin potager, Trait Jean-Claude
Plantes d'intérieur, Les, Pouliot Paul
Techniques du jardinage, Les, Pouliot Paul
* **Terrariums, Les,** Kayatta Ken

JEUX/DIVERTISSEMENTS

Améliorons notre bridge, Durand Charles
* **Bridge, Le,** Beaulieu Viviane
Clés du scrabble, Les, Sigal Pierre A.
Collectionner les timbres, Taschereau Yves
* **Dictionnaire des mots croisés, noms communs,** Lasnier Paul
* **Dictionnaire des mots croisés, noms propres,** Piquette Robert
* **Dictionnaire raisonné des mots croisés,** Charron Jacqueline

Finales aux échecs, Les, Santoy Claude
Jeux de société, Stanké Louis
* **Jouons ensemble,** Provost Pierre
Livre des patiences, Le, Bezanovska M. et Kitchevats P.
* **Ouverture aux échecs,** Coudari Camille
Scrabble, Le, Gallez Daniel
Techniques du billard, Morin Pierre

LINGUISTIQUE

* **Anglais par la méthode choc, L',** Morgan Jean-Louis
* **J'apprends l'anglais,** Silicani Gino

Petit dictionnaire du joual, Turenne Auguste
Secrétaire bilingue, La, Lebel Wilfrid

LIVRES PRATIQUES

Bonnes idées de maman Lapointe, Les, Lapointe Lucette
Chasse-taches, Le, Cassimatis Jack
* **Maîtriser son doigté sur un clavier,** Lemire Jean-Paul

* **Mon automobile,** Collège Marie-Victorin, Gouv. du Québec
* **Se protéger contre le vol,** Kabundi Marcel et Normandeau André
Temps c'est de l'argent, Le, Davenport Rita

MUSIQUE ET CINÉMA

* **Guitare, La,** Collins Peter
Piano sans professeur, Le, Evans Roger

Wolfgang Amadeus Mozart raconté en 50 chefs-d'oeuvre, Roussel Paul

NOTRE TRADITION

Coffret notre tradition Écoles de rang au Québec, Les, Dorion Jacques
Encyclopédie du Québec, T.1, Landry Louis
Encyclopédie du Québec, T.2, Landry Louis
* **Généalogie, La,** Faribeault- Beauregard M., Beauregard Malak E.
Histoire de la chanson québécoise, L'Herbier Benoît
Maison traditionnelle, La, Lessard Micheline

Moulins à eau de la vallée du Saint-Laurent, Adam Villeneuve
Objets familiers de nos ancêtres, Genet Nicole
* **Sculpture ancienne au Québec, La,** Porter John R. et Bélisle Jean
Vive la compagnie, Daigneault Pierre

PHOTOGRAPHIE (ÉQUIPEMENT ET TECHNIQUE)

* **Apprenez la photographie avec Antoine Desilets,** Desilets Antoine
Chasse photographique, Coiteux Louis
8/Super 8/16, Lafrance André
Initiation à la Photographie, London Barbara
Initiation à la Photographie-Canon, London Barbara
Initiation à la Photographie-Minolta, London Barbara

Initiation à la Photographie-Nikon, London Barbara
Initiation à la Photographie-Olympus, London Barbara
Initiation à la Photographie-Pentax, London Barbara
* **Je développe mes photos,** Desilets Antoine
* **Je prends des photos,** Desilets Antoine
* **Photo à la portée de tous,** Desilets Antoine
Photo guide, Desilets Antoine

PSYCHOLOGIE

Âge démasqué, L', De Ravinel Hubert
* **Aider mon patron à m'aider,** Houde Eugène
* **Amour de l'exigence à la préférence,** Auger Lucien
Au-delà de l'intelligence humaine, Pouliot Élise
Auto-développement, L', Garneau Jean
Bonheur au travail, Le, Houde Eugène
Bonheur possible, Le, Blondin Robert
Chimie de l'amour, La, Liebowitz Michael
Coeur à l'ouvrage, Le, Lefebvre Gérald
Coffret psychologie moderne Colère, La, Tavris Carol
* **Comment animer un groupe,** Office Catéchèsse
* **Comment avoir des enfants heureux,** Azerrad Jacob
* **Comment déborder d'énergie,** Simard Jean-Paul
Comment vaincre la gêne, Catta Rene-Salvator
* **Communication dans le couple, La,** Granger Luc
* **Communication et épanouissement personnel,** Auger Lucien
Comprendre la névrose et aider les névrosés, Ellis Albert
* **Contact,** Zunin Nathalie
* **Courage de vivre, Le,** Kiev Docteur A.
Courage et discipline au travail, Houde Eugène
Dynamique des groupes, Aubry J.-M. et Saint-Arnaud Y.
Élever des enfants sans perdre la boule, Auger Lucien
* **Émotivité et efficacité au travail,** Houde Eugène
Enfant paraît... et le couple demeure, L', Dorman Marsha et Klein Diane
Enfants de l'autre, Les, Paris Erna
* **Être soi-même,** Corkille Briggs D.
* **Facteur chance, Le,** Gunther Max
* **Fantasmes créateurs, Les,** Singer Jérôme
Infidélité, L', Leigh Wendy
Intuition, L', Goldberg Philip
* **J'aime,** Saint-Arnaud Yves
Journal intime intensif, Progoff Ira
Miracle de l'amour, Un, Kaufman Barry Neil
* **Mise en forme psychologique,** Corrière Richard

* **Parle-moi... J'ai des choses à te dire,** Salome Jacques
Penser heureux, Auger Lucien
* **Personne humaine, La,** Saint-Arnaud Yves
* **Plaisirs du stress, Les,** Hanson Dr Peter G.
* **Première impression, La,** Kleinke Chris, L.
Prévenir et surmonter la déprime, Auger Lucien
* **Prévoir les belles années de la retraite,** D. Gordon Michael
* **Psychologie dans la vie quotidienne,** Blank Dr Léonard
* **Psychologie de l'amour romantique,** Braden Docteur N.
* **Qui es-tu grand-mère? Et toi grand-père?** Eylat Odette
* **S'affirmer et communiquer,** Beaudry Madeleine
* **S'aider soi-même,** Auger Lucien
* **S'aider soi-même d'avantage,** Auger Lucien
* **S'aimer pour la vie,** Wanderer Dr Zev
* **Savoir organiser, savoir décider,** Lefebvre Gérald
* **Savoir relaxer et combattre le stress,** Jacobson Dr Edmund
* **Se changer,** Mahoney Michael
* **Se comprendre soi-même par des tests,** Collectif
* **Se concentrer pour être heureux,** Simard Jean-Paul
Se connaître soi-même, Artaud Gérard
* **Se contrôler par le biofeedback,** Ligonde Paultre
* **Se créer par la Gestalt,** Zinker Joseph
* **S'entraider,** Limoges Jacques
* **Se guérir de la sottise,** Auger Lucien
Séparation du couple, La, Weiss Robert S.
Sexualité au bureau, La, Horn Patrice
Syndrome prémenstruel, Le, Shreeve Dr Caroline
* **Vaincre ses peurs,** Auger Lucien
Vivre à deux: plaisir ou cauchemar, Duval Jean-Marie
* **Vivre avec sa tête ou avec son coeur,** Auger Lucien
Vivre c'est vendre, Chaput Jean-Marc
* **Vivre jeune,** Waldo Myra
* **Vouloir c'est pouvoir,** Hull Raymond

6

ROMANS/ESSAIS

Adieu Québec, Bruneau André
Baie d'Hudson, La, Newman Peter C.
Bien-pensants, Les, Berton Pierre
Bousille et les justes, Gélinas Gratien
  Coffret Joey
C.P., Susan Goldenberg
Commettants de Caridad, Les, Thériault Yves
Deux Innocents en Chine Rouge, Hébert Jacques
* **Dieu ne joue pas aux dés,** Laborit Henri
Dome, Jim Lyon
* **Frères divorcés, Les,** Godin Pierre
IBM, Sobel Robert
Insolences du Frère Untel, Les, Untel Frère
ITT, Sobel Robert
J'parle tout seul, Coderre Emile

Lamia, Thyraud de Vosjoli P.L.
Mensonge amoureux, Le, Blondin Robert
Nadia, Aubin Benoît
Oui, Lévesque René
Premiers sur la lune, Armstrong Neil
* **Rick Hansen, Vivre sans frontières,** Hansen Rick,
  Taylor Jim
* **Sur les ailes du temps (Air Canada),** Smith Philip
Telle est ma position, Mulroney Brian
Terrosisme québécois, Le, Morf Gustave
* **Trois semaines dans le hall du Sénat,** Hébert
  Jacques
Un doux équilibe, King Annabelle
* **Un second souffle,** Hébert Diane
Vrai visage de Duplessis, Le, Laporte Pierre

SANTÉ ET ESTHÉTIQUE

* **Ablation de la vésicule biliaire, L',** Paquet Jean-
  Claude
* **Ablation des calculs urinaires, L',** Paquet Jean-
  Claude
* **Ablation du sein, L',** Paquet Jean-Claude
Allergies, Les, Delorme Dr Pierre
Art de se maquiller, L', Moizé Alain
* **Bien vivre sa ménopause,** Gendron Dr Lionel
Cellulite, La, Ostiguy Dr Jean-Paul
Cellulite, La, Léonard Dr Gérard J.
* **Chirurgie vasculaire, La,** Paquet Jean-Claude
* **Dialyse et la greffe du rein, La,** Paquet Jean-Claude
Être belle pour la vie, Meredith Bronwen
Exercices pour les aînés, Godfrey Dr Charles,
  Feldman Michael
Face lifting par l'exercice, Le, Runge Senta Maria
Grandir en 100 exercices, Berthelet Pierre
Hystérectomie, L', Alix Suzanne
* **Malformations cardiaques congénitales, Les,**
  Paquet Jean-Claude
Médecine esthétique, La, Lanctot Guylaine
Obésité et cellulite, enfin la solution, Léonard Dr
  Gérard J.

Perdre son ventre en 30 jours H-F, Burstein Nancy et
  Matthews Roy
* **Pontage coronarien, Le,** Paquet Jean-Claude
Santé, un capital à préserver, Peeters E.G.
Travailler devant un écran, Feeley Dr Helen
Coffret 30 jours
30 jours pour avoir de beaux cheveux, Davis Julie
30 jours pour avoir de beaux ongles, Bozic Patricia
30 jours pour avoir de beaux seins, Larkin Régina
30 jours pour avoir un beau teint, Zizmor Dr
  Jonathan
30 jours pour cesser de fumer, Holland Gary et
  Weiss Herman
30 jours pour mieux organiser, Holland Gary
**30 jours pour perdre son ventre (homme et
  femme),** Matthews Roy, Burnstein Nancy
30 jours pour redevenir un couple amoureux, Nida
  Patricia K. et Cooney Kevin
**30 jours pour un plus grand épanouissement
  sexuel,** Schneider Alan et Laiken Deidre
Vos dents, Kandelman Dr Daniel
* **Vos yeux,** Chartrand Marie et Lepage-Durand
  Micheline

SEXOLOGIE

Adolescente veut savoir, L', Gendron Lionel
Contacts sexuels sans risques, Prévenir le SIDA,
  IASHS
Fais voir, Fleischhaner H.
Guide illustré du plaisir sexuel, Corey Dr Robert E.
  Helg, Bender Erich F.
* **Ma sexualité de 0 à 6 ans,** Robert Jocelyne
* **Ma sexualité de 6 à 9 ans,** Robert Jocelyne

* **Ma sexualité de 9 à 12 ans,** Robert Jocelyne
Nous, on en parle, Lamarche M., Danheux P.
Plaisir partagé, Le, Gary-Bishop Hélène
* **Première expérience sexuelle, La,** Gendron Lionel
* **Sexe au féminin, Le,** Kerr Carmen
* **Sexualité du jeune adolescent,** Gendron Lionel
* **Sexualité dynamique, La,** Lefort Dr Paul
* **Shiatsu et sensualité,** Rioux Yuki

SPORTS

100 trucs de billard, Morin Pierre
Le programme pour être en forme
Apprenez à patiner, Marcotte Gaston
Arc et la chasse, L', Guardon Greg
* Armes de chasse, Les, Petit Martinon Charles
* Badminton, Le, Corbeil Jean
* Canadiens de 1910 à nos jours, Les, Turowetz Allan et Goyens Chrystian
* Carte et boussole, Kjellstrom Bjorn
* Chasse au petit gibier, La, Paquet Yvon-Louis
Chasse et gibier du Québec, Bergeron Raymond
Chasseurs sachez chasse, Lapierre Lucie
* Comment se sortir du trou au golf, Brien Luc
* Comment vivre dans la nature, Rivière Bill
* Corrigez vos défauts au golf, Bergeron Yves
Curling, Le, Lukowich E.
Devenir gardien de but au hockey, Allair François
Encyclopédie de la chasse au Québec, Leiffet Bernard
Entraînement, poids-haltères, L', Ryan Frank
Exercices à deux, Gregor Carol
Golf au féminin, Le, Bergeron Yves
Grand livre des sports, Le, Le groupe Diagram
Guide complet du judo, Arpin Louis
* Guide complet du self-defense, Arpin Louis
Guide d'achat de l'équipement de tennis, Chevalier Richard et Gilbert Yvon
Guide de l'alpinisme, Le, Cappon Massimo
Guide de survie de l'armée américaine
Guide des jeux scouts, Association des scouts
Guide du judo au sol, Arpin Louis
Guide du self-defense, Arpin Louis
Guide du trappeur, Le, Provencher Paul
Hatha yoga, Piuze Suzanne
Initiation à la planche à voile, Wulff D., Morch K.
* J'apprends à nager, Lacoursière Réjean
* Jogging, Le, Chevalier Richard
Jouez gagnant au golf, Brien Luc
Larry Robinson, le jeu défensif, Robinson Larry
Lutte olympique, La, Sauvé Marcel
* Manuel de pilotage, Transport Canada

* Marathon pour tous, Anctil Pierre
Maxi-performance, Garfield Charles A. et Bennett Hal Zina
* Médecine sportive, Mirkin Dr Gabe
Mon coup de patin, Wild John
Musculation pour tous, Laferrière Serge
Natation de compétition, La, Lacoursière Réjean
Partons en camping, Satterfield Archie et Bauer Eddie
Partons sac au dos, Satterfield Archie et Bauer Eddie
Passes au hockey, Champleau Claude
Pêche à la mouche, La, Marleau Serge
Pêche à la mouche, Vincent Serge-J.
Pêche au Québec, La, Chamberland Michel
* Planche à voile, La, Maillefer Gérald
* Programme XBX, Aviation Royale du Canada
Provencher, le dernier coureur des bois, Provencher Paul
Racquetball, Corbeil Jean
Racquetball plus, Corbeil Jean
Raquette, La, Osgoode William
* Rivières et lacs canotables, Fédération québécoise du canot-camping
* S'améliorer au tennis, Chevalier Richard
Secrets du baseball, Les, Raymond Claude
Ski de fond, Le, Roy Benoît
* Ski de randonnée, Le, Corbeil Jean
Soccer, Le, Schwartz Georges
Stratégie au hockey, Meagher John W.
Surhommes du sport, Les, Desjardins Maurice
* Taxidermie, La, Labrie Jean
Techniques du billard, Morin Pierre
* Technique du golf, Brien Luc
Techniques du hockey en URSS, Dyotte Guy
* Techniques du tennis, Ellwanger
* Tennis, Le, Roch Denis
Tous les secrets de la chasse, Chamberland Michel
Vivre en forêt, Provencher Paul
Voie du guerrier, La, Di Villadorata
Volley-ball, Le, Fédération de volley-ball
Yoga des sphères, Le, Leclerq Bruno

8

le jour,
éditeur

ANIMAUX

Guide du chat et de son maître, Laliberté Robert
Guide du chien et de son maître, Laliberté Robert

Poissons de nos eaux, Melançon Claude

ART CULINAIRE ET DIÉTÉTIQUE

Armoire aux herbes, L', Mary Jean
Breuvages pour diabétiques, Binet Suzanne
Cuisine du jour, La, Pauly Robert
Cuisine sans cholestérol, Boudreau-Pagé
Desserts pour diabétiques, Binet Suzanne
Jus de santé, Les, Brunet Jean-Marc
Mangez ce qui vous chante, Pearson Dr Leo

Mangez, réfléchissez et devenez svelte, Kothkin
Leonid
Nutrition de l'athlète, Brunet Jean-Marc
Recettes Soeur Berthe - été, Sansregret soeur
Berthe
Recettes Soeur Berthe - printemps, Sansregret
soeur Berthe

ARTISANAT/ARTS MÉNAGERS

Diagrammes de courtepointes, Faucher Lucille
Douze cents nouveaux trucs, Grisé-Allard Jeanne
Encore des trucs, Grisé-Allard Jeanne

Mille trucs madame, Grisé-Allard Jeanne
Toujours des trucs, Grisé-Allard Jeanne

DIVERS

Administrateur de la prise de décision, Filiatreault
P. et Perreault Y.G.
Administration, développement, Laflamme Marcel
Assemblées délibérantes, Béland Claude
Assoiffés du crédit, Les, Féd. des A.C.E.F.
Baie James, La, Bourassa Robert
Bien s'assurer, Boudreault Carole
Cent ans d'injustice, Hertel François
Ces mains qui vous racontent, Boucher André-Pierre
550 métiers et professions, Charneux Helmy
Coopératives d'habitation, Les, Leduc Murielle
Dangers de l'énergie nucléaire, Les, Brunet Jean-Marc
Dis papa c'est encore loin, Corpatnauy Francis
Dossier pollution, Chaput Marcel

Énergie aujourd'hui et demain, De Martigny
François
Entreprise et le marketing, L', Brousseau
Forts de l'Outaouais, Les, Dunn Guillaume
Grève de l'amiante, La, Trudeau Pierre
Hiérarchie ethnique dans la grande entreprise,
Rainville Jean
Impossible Québec, Brillant Jacques
Initiation au coopératisme, Béland Claude
Julius Caesar, Roux Jean-Louis
Lapokalipso, Duguay Raoul
Lune de trop, Une, Gagnon Alphonse
Manifeste de l'Infonie, Duguay Raoul
Mouvement coopératif québécois, Deschêne Gaston
Obscénité et liberté, Hébert Jacques

9

Philosophie du pouvoir, Blais Martin
Pourquoi le bill 60, Gérin-Lajoie P.
Stratégie et organisation, Desforges Jean et
Vianney C.

Trois jours en prison, Hébert Jacques
Vers un monde coopératif, Davidovic Georges
Vivre sur la terre, St-Pierre Hélène
Voyage à Terre-Neuve, De Gébineau comte

ENFANCE

Aidez votre enfant à choisir, Simon Dr Sydney B.
Deux caresses par jour, Minden Harold
Être mère, Bombeck Erma
Parents efficaces, Gordon Thomas

Parents gagnants, Nicholson Luree
Psychologie de l'adolescent, Pérusse-Cholette
Françoise
1500 prénoms et significations, Grisé Allard J.

ÉSOTÉRISME

* Astrologie et la sexualité, L', Justason Barbara
Astrologie et vous, L', Boucher André-Pierre
* Astrologie pratique, L', Reinicke Wolfgang
Faire se carte du ciel, Filbey John
Grand livre de la cartomancie, Le, Von Lentner G.
* Grand livre des horoscopes chinois, Le, Lau
Theodora
Graphologie, La, Cobbert Anne
* Horoscope et énergie psychique, Hamaker-Zondag

Horoscope chinois, Del Sol Paula
Lu dans les cartes, Jones Marthy
* Pendule et baguette, Kirchner Georg
* Pratique du tarot, La, Thierens E.
Preuves de l'astrologie, Comiré André
Qui êtes-vous? L'astrologie répond, Tiphaine
Synastrie, La, Thornton Penny Traité d'astrologie,
Hirsig Huguette
Votre destin par les cartes, Dee Nerys

HISTOIRE

Administration en Nouvelle-France, L', Lanctot
Gustave
Histoire de Rougemont, Bédard Suzanne
Lutte pour l'information, La, Godin Pierre
Mémoires politiques, Chaloult René
Rébellion de 1837, Saint-Eustache, Globensky
Maximillien

Relations des Jésuites T.2
Relations des Jésuites T.3
Relations des Jésuites T.4
Relations des Jésuites T.5

JEUX/DIVERTISSEMENTS

Backgammon, Lesage Denis

LINGUISTIQUE

Des mots et des phrases, T. 1, Dagenais Gérard
Des mots et des phrases, T. 2, Dagenais Gérard

Joual de Troie, Marcel Jean

NOTRE TRADITION

Ah mes aïeux, Hébert Jacques

Lettre à un Français qui veut émigrer au Québec,
Dubuc Carl

OUVRAGES DE RÉFÉRENCES

Petit répertoire des excuses, Le, Charbonneau Christine et Caron Nelson

Règles d'or de la vente, Les, Kahn George N.

PSYCHOLOGIE

* Adieu, Halpern Dr Howard
  Adieu Tarzan, Frank Helen
* Agressivité créatrice, Bach Dr George
  Aimer, c'est choisir d'être heureux, Kaufman Barry Neil
* Aimer son prochain comme soi-même, Murphy Joseph
* Anti-stress, L', Eylat Odette
  Arrête! tu m'exaspères, Bach Dr George
  Art d'engager la conversation et de se faire des amis, L', Grabor Don
* Art de convaincre, L', Ryborz Heinz
* Art d'être égoïste, L', Kirschner Joseph
* Au centre de soi, Gendlin Dr Eugène
* Auto-hypnose, L', Le Cron M. Leslie
  Autre femme, L', Sevigny Hélène
  Bains Flottants, Les, Hutchison Michael
* Bien dans sa peau grâce à la technique Alexander, Stransky Judith
  Ces hommes qui ne communiquent pas, Naifeh S. et White S.G.
  Ces vérités vont changer votre vie, Murphy Joseph
  Chemin infaillible du succès, Le, Stone W. Clément
  Clefs de la confiance, Les, Gibb Dr Jack
  Comment aimer vivre seul, Shanon Lynn
* Comment devenir des parents doués, Lewis David
* Comment dominer et influencer les autres, Gabriel H.W.
  Comment s'arrêter de fumer, McFarland J. Wayne
* Comment vaincre la timidité en amour, Weber Eric
  Contacts en or avec votre clientèle, Sapin Gold Carol
* Contrôle de soi par la relaxation, Marcotte Claude
* Couple homosexuel, Le, McWhirter David P. et Mattison Andres M.
* Devenir autonome, St-Armand Yves
* Dire oui à l'amour, Buscaglia Léo
* Ennemis intimes, Bach Dr George
  États d'esprit, Glasser Dr William Être efficace, Hanot Marc
  Être femme, Goldberg Dr Herb
  Famille moderne et son avenir, La , Richar Lyn
  Gagner le match, Gallwey Timothy
  Gestalt, La, Polster Erving
  Guide du succès, Le, Hopkins Tom
  Harmonie, une poursuite du succès, L', Vincent Raymond
* Homme au dessert, Un, Friedman Sonya
  Homme en devenir, L', Houston Jean
* Homme nouveau, L', Bodymind, Dychtwald Ken
  Influence de la couleur, L', Wood Betty
* Jouer le tout pour le tout, Frederick Carl

Maigrir sans obsession, Orback Suisie
Maîtriser la douleur, Bogin Meg
Maîtriser son destin, Kirschner Joseph
Manifester son affection, Bach Dr George
* Mémoire, La, Loftus Elizabeth
* Mémoire à tout âge, La, Dereskey Ladislaus
* Mère et fille, Horwick Kathleen
* Miracle de votre esprit, Murphy Joseph
* Négocier entre vaincre et convaincre, Warschaw Dr Tessa
  Nouvelles Relations entre hommes et femmes, Goldberg Herb
* On n'a rien pour rien, Vincent Raymond
* Oracle de votre subconscient, L, Murphy Joseph
  Parapsychologie, La, Ryzl Milan
* Parlez pour qu'on vous écoute, Brien Micheline
* Partenaires, Bach Dr George
* Pensée constructive et bon sens, Vincent Dr Raymond
  Personnalité, La, Buscaglia Léo
  Personne n'est parfait, Weisinger Dr H.
  Pourquoi ne pleures-tu pas?, Yahraes Herbert, McKnew Donald H. Jr., Cytryn Leon
  Pourquoi remettre à plus tard? Burka Jane B. et Yuen L. M.
  Pouvoir de votre cerveau, Le, Brown Barbara
  Prospérité, La, Roy Maurice
* Psy-jeux, Masters Robert
* Puissance de votre subconscient, La, Murphy Dr Joseph
  Reconquête de soi, La, Paupst Dr James C.
* Réfléchissez et devenez riche, Hill Napoléon
* Réussir, Hanot Marc
  Rythmes de votre corps, Les, Weston Lee
  S'aimer ou le défi des relations humaines, Buscaglia Léo
  Se vider dans la vie et au travail, Pines Ayala M.
* Secrets de la communication, Bandler Richard
  Sous le masque du succès, Harvey Joan C. et Datz Cynthia
* Succès par la pensée constructive, Le, Hill Napoléon
  Technostress, Brod Craig
* Thérapies au féminin, Les, Brunel Dominique
  Tout ce qu'il y a de mieux, Vincent Raymond
  Triomphez de vous-même et des autres, Murphy Dr Joseph
  Univers de mon subsconscient, L', Dr Ray Vincent
  Vaincre la dépression par la volonté et l'action, Marcotte Claude
  Vers le succès, Kassoria Dr Irène C.
* Vieillir en beauté, Oberleder Muriel

Vivre avec les imperfections de l'autre, Janda Dr Louis H.
* **Vivre c'est vendre,** Chaput Jean-Marc

* **Vivre heureux avec le strict nécessaire,** Kirschner Josef
Votre perception extra sensorielle, Milan Dr Ryzl
Votre talon d'Achille, Bloomfield Dr. Harold

ROMANS/ESSAIS

À la mort de mes 20 ans, Gagnon P.O.
Affrontement, L', Lamoureux Henri
Bois brûlé, Roux Jean-Louis
100 000e exemplaire, Le, Dufresne Jacques
* **Ça s'est passé à Montréal,** Steinberg Donna
C't'a ton tour Laura Cadieux, Tremblay Michel
Cité dans l'oeuf, La, Tremblay Michel
Coeur de la baleine bleue, Le, Poulin Jacques
Coffret petit jour, Martucci Abbé Jean
Colin-Maillard, Hémon Louis
Contes pour buveurs attardés, Tremblay Michel
Contes érotiques indiens, Schwart Herbert
Crise d'octobre, Pelletier Gérard
Cyrille Vaillancourt, Lamarche Jacques
Desjardins Al., Homme au service, Lamarche Jacques
De Z à A, Losique Serge
Deux Millième étage, Le, CarrierRoch
D'Iberville, Pellerin Jean
Dragon d'eau, Le, Holland R.F.
Équilibre instable, L', Deniset Louis
Éternellement vôtre, Péloquin Claude
Femme d'aujourd'hui, La, Landsberg Michele
Femme de demain, Keeton Kathy
Femmes et politique, Cohen Yolande
Filles de joie et filles du roi, Lanctot Gustave
Floralie où es-tu, Carrier Roch

Fou, Le, Châtillon Pierre
Français langue du Québec, Le, Laurin Camille
Hommes forts du Québec, Weider Ben
Il est par là le soleil, Carrier Roch
J'ai le goût de vivre, Delisle Isabelle
J'avais oublié que l'amour, Doré-Joyal Yves
Jean-Paul ou les hasards de la vie, Bellier Marcel
Johnny Bungalow, Villeneuve Paul
Jolis Deuils, Carrier Roch
Lettres d'amour, Champagne Maurice
Louis Riel patriote, Bowsfield Hartwell
Louis Riel un homme à pendre, Osier E.B.
Ma chienne de vie, Labrosse Jean-Guy
Marche du bonheur, La, Gilbert Normand
Mémoires d'un Esquimau, Metayer Maurice
Mon cheval pour un royaume, Poulin J.
Neige et le feu, La, Baillargeon Pierre
N'Tsuk, Thériault Yves
* **Objectif camouflé,** Porter Anna
Opération Orchidée, Villon Christiane
Orphelin esclave de notre monde, Labrosse Jean
Oslovik fait la bombe, Oslovik
Parlez-moi d'humour, Hudon Normand
Scandale est nécessaire, Le, Baillargeon Pierre
* **Thrax,** Guay Michel
Train de Maxwell, Le, Hyde Christopher
Vivre en amour, Delisle Lapierre

SANTÉ

Alcool et la nutrition, L', Brunet Jean-Marc
Bruit et la santé, Le, Brunet Jean-Marc
Chaleur peut vous guérir, La, Brunet Jean-Marc
Échec au vieillissement prématuré, Blais J.
Greffe des cheveux vivants, Guy Dr
Guérir votre foie, Jean-Marc Brunet
Information santé, Brunet Jean-Marc
Magie en médecine, Sylva Raymond
Maigrir naturellement, Lauzon Jean-Luc
Mort lente par le sucre, Duruisseau Jean-Paul

40 ans, âge d'or, Taylor Eric
Recettes naturistes pour arthritiques et rhumatisants, Cuillerier Luc
Santé de l'arthritique et du rhumatisant, Labelle Yvan
* **Tao de longue vie, Le,** Soo Chee
Vaincre l'insomnie, Filion Michel,Boisvert Jean-Marie, Melanson Danielle
Vos aliments sont empoisonnés, Leduc Paul

Beaulieu Michel,
Je tourne en rond mais c'est autour de toi
La représentation
Sylvie Stone
Bilodeau Camille,
Une ombre derrière le coeur
Blais Marie-Claire,
L'océan suivi de Murmures
Une liaison parisienne
Bosco Monique,
Charles Lévy M.S. Schabbat
Bouchard Claude,
La mort après la mort
Brodeur Hélène,
Entre l'aube et le jour
Brossard Nicole,
Armantes
French Kiss
Sold Out
Un livre
Brouillet Chrystine,
Chère voisine
Coup de foudre
Callaghan Barry,
Les livres de Hogg
Cayla Henri,
Le pan-cul
Dahan Andrée,
Le printemps peut attendre
De Lamirande Claire,
Le grand élixir
Doyon Louise,
Les héritiers
Dubé Danielle,
Les olives noires
Dessureault Guy,
La maîtresse d'école
Dropaôtt Papartchou,
Salut Bonhomme
Doerkson Margaret
Jazzy
Dubé Marcel,
Un simple soldat
Dussault Jean,
Le corps vêtu de mots
Essai sur l'hindouisme
L'orbe du désir
Pour une civilisation du plaisir
Engel Marian,
L'ours
Fontaine Rachel,
Black Magic
Forest Jean,
L'aube de Suse
Le mur de Berlin P.Q.
Nourrice!... Nourrice!...
Garneau Jacques,
Difficiles lettres d'amour

Gélinas Gratien,
Bousille et les justes
Fridolinades, T.1 (1945-1946)
Fridolinades, T.2 (1943-1944)
Fridolinades, T.3 (1941-1942)
Ti-Coq
Gendron Marc,
Jérémie ou le Bal des pupilles
GevryGérard,
L'homme sous vos pieds
L'été sans retour
Godbout Jacques,
Le réformiste
Harel Jean-Pierre,
Silences à voix haute
Hébert François,
Holyoke
Le rendez-vous
Hébert Louis-Philippe,
La manufacture de machines
Manuscrit trouvé dans une valise
Hogue Jacqueline,
Aube
Huot Cécile,
Entretiens avec Omer Létourneau
Jasmin Claude,
Et puis tout est silence
Laberge Albert,
La scouine
Lafrenière Joseph,
Carolie printemps
L'après-guerre de l'amour
Lalonde Robert,
La belle épouvante
Lamarche Claude,
Confessions d'un enfant d'un demi-siècle
Je me veux
Lapierre René,
Hubert Aquin
Larche Marcel,
So Uk
Larose Jean,
Le mythe de Nelligan
Latour Chrystine,
La dernière chaîne
Le mauvais frère
Le triangle brisé
Tout le portrait de sa mère
Lavigne Nicole,
Le grand rêve de madame Wagner
Lavoie Gaëtan,
Le mensonge de Maillard
Leblanc Louise,
Pop Corn
37 1/2AA
Marchessault Jovette,
La mère des herbes

Marcotte Gilles,
   La littérature et le reste
Marteau Robert,
   Entre temps
Martel Émile,
   Les gants jetés
Martel Pierre,
   Y'a pas de métro à Gélude-La-Roche
Monette Madeleine,
   Le double suspect
   Petites violences
Monfils Nadine,
   Laura Colombe, contes
   La velue
Ouellette Fernand,
   La mort vive
   Tu regardais intensément Geneviève
Paquin Carole,
   Une esclave bien payée
Paré Paul,
   L'improbable autopsie
Pavel Thomas,
   Le miroir persan
Pollak Véra,
   Rose-Rouge
Poupart Jean-Marie,
   Bourru mouillé
Robert Suzanne,
   Les trois soeurs de personneVulpera
Robertson Heat,
   Beauté tragique

Ross Rolande,
   Le long des paupières brunes
Roy Gabrielle,
   Fragiles lumières de la terre
Saint-Georges Gérard,
   1, place du Québec Paris VIe
Sansfaçon Jean-Robert,
   Loft Story
Saurel Pierre,
   IXE-13
Savoie Roger,
   Le philosophe chat
Svirsky Grigori,
   Tragédie polaire, nouvelles
Szucsany Désirée,
   La passe
Thériault Yves,
   Aaron
   Agaguk
   Le dompteur d'ours
   La fille laide
   Les vendeurs du temple
Turgeon Pierre,
   Faire sa mort comme faire l'amour
   La première personne
   Prochainement sur cet écran
   Un, deux, trois
Trudel Sylvain,
   Le souffle de l'Harmattan
Vigneault Réjean,
   Baby-boomers

COLLECTIF DE NOUVELLES

Aimer
Crever l'écran
Dix contes et nouvelles fantastiques
Dix nouvelles de science-fiction québécoise

Dix nouvelles humoristiques
Fuites et poursuites
L'aventure, la mésaventure

LIVRES DE POCHES 10/10

Aquin Hubert,
   Blocs erratiques
Brouillet Chrystine,
   Chère voisine
Dubé Marcel,
   Un simple soldat
Gélinas Gratien,
   Bousille et les justes
   Ti-Coq
Harvey Jean-Charles,
   Les demi-civilisés
Laberge Albert
   La scouine

Thériault Yves,
   Aaron
   Agaguk
   Cul-de-sac
   La fille laide
   Le dernier havre
   Le temps du carcajou
   Tayaout
Turgeon Pierre,
   Faires sa mort comme faire l'amour
   La première personne

NOTRE TRADITION

DIVERS

Achevé   Imprimerie
d'imprimer   Gagné Ltée
au Canada   Louiseville